2.43 清陰高校男子バレー部 ①

壁井ユカコ

2.43 清陰高校男子バレー部 ①

目次

2.43 清陰高校男子バレー部　①

プロローグ　冷たい指

親指、人差し指、中指の三本。左右の手をあわせて六本の指に施すテーピングは、今となっては半ば儀式みたいなものだ。体質で爪が剝離《はくり》しやすかったからオーバーハンドパスに恐怖心があって、小学校時代の監督に「チカ、セッターをやってみないか」と言われたときにはすこし怯《ひる》んだ。それ以来毎日、試合でも練習でも欠かさずテーピングをするのが習慣化した。苦手意識を持っていたセッターというポジションが存外《ぞんがい》に面白くてのめり込んでいったのは、別にテーピングのおかげというわけではなかったと思うが、それでもいつの間にか自分の中で不可欠なものになっていた。

なのに、今現在——灰島公誓《はいじまきみちか》は、いつものようにテーピングした両手をただ虚《むな》しくチームジャージのポケットに突っ込んでウォームアップゾーンの一番後ろに立っている。ポケットの中で握り込んだ指が冷たい。テーピングが指を締めつけている気がする。きつく巻きすぎたのか？　もう何年も同じように続けている儀式だ。今さら力加減を誤るはずがない。でもやっぱりきつく感じる。アップゾーンにいる以上絶えず身体《からだ》を小刻みに動かしているが、体温が指先まで行き渡らない。血流がそこで堰《せ》きとめられているような感覚。寒いわけではない。体育館は熱気に満ちていて、二階観戦席にひしめく保護者たちまでみんな上着を脱いでいる。『銘誠《めいせい》』『銘誠学園中学校』『銘誠中学男子バレーボール部』学校名を誇らかに冠した横断幕が重なりあって垂らされているのが今日はやけに目にうるさい。

そしてまた指の冷たさに意識を引っ張られる。こんな状態でボールを捌《さば》けるのかと不安になる。今から巻きなおす？　駄目だ、交代の指示があるかもしれない。そう考えてから、無用の懸念だと舌打ちが漏れる。今日は使わないと監督にはっきり宣告されている。けどいくらなんでも戦況が悪い。本当におれをださないつもりか？——苛々《いらいら》する。気持ちはコートに立っているつもりなのに、両足はこうしてアップゾーンに張りついている。もどかしさが身体の中にひたすら溜《た》まる。

また、三枚つく。抜けない——。

セッターの井川《いかわ》がトスをあげる前から灰島にはその先のボールの軌跡が見えていた。攻撃が単調すぎる。さっきからレフトオープン一辺倒《いっぺんとう》。あれじゃ素人にだってとめられる。

案の定、綺麗《きれい》に三枚揃《そろ》ったブロックめがけてバカ正直にぶちあてる結果になり、アタッカーの真下にボールを叩《たた》き落とされた。フォロー！　と灰島は心の中で声をあげたが井川の足はとまっている。敵陣が歓声にわき、自軍の応援団からは母親たちの悲鳴があがる。

　そこでぼさっとしてレフトにただ高いのをあげるだけならセッターなんて必要ないだろ。なんのためにそのポジションに立ってるんだ。今すぐコートに踏み込んでいって井川をあの場所から引きずりおろしたい衝動に駆られる。なんで今あそこに、コートの真ん中の、ボールの流れの真ん中にいるのが自分じゃないんだ。自分の手を経由しないでボールをネットの向こうに返そうっていうのが、すごく許しがたいことに思える。

　レシーブが乱れて井川にいいパスが返らない。結局またレフトオープン。三枚ブロック。シャットアウト。尋常じゃなく額から流れ続ける汗をユニフォームで拭《ぬぐ》いながら井川が助けを求めるような目をアップゾーンによこす。おれじゃなくてベンチに言ってくれよと灰島は切実に思う。自分には荷が重いって、わかってるんなら自分の口から監督に言ってくれ。もしくは二階で無責任な金切り声あげて鳴り物鳴らしてるだけのおまえらのおふくろたちに言ってくれ。

　〝とりあえず明日の試合はスタメンからはずす〟

　監督のその言葉で、あり得ないベンチスタート。とりあえずって、そんな曖昧《あいまい》な理由で。

〃いや、井川には荷が勝つのはわかってる。でもそれで吉野《よしの》たちも、お母さん方も溜《りゅう》飲《いん》が下がるだろうから〃

溜飲が下がる？　そんなことのために試合を捨てようとしている監督が理解できなかった。勝ちたくないのか？　おれがでてれば勝てる試合なんだ。勝って黙らせてやればいいだろ、保護者会からのクレームなんて。

「爽太《そうた》、まじで今日来ない気かな……」

アップゾーンに立つ他の控えメンバーたちがコートに声援を送る合間にひそひそ声を交わすのが聞こえた。

「おとついチカと揉《も》めてただろ。それでなんか言われたんじゃないの？」

「試合ブッチするほどのことを？」

「言うことキッツいからな……」

寄せあった肩越しにこっちに視線を送ってくる。灰島が睨《にら》む視線を返すと、目があう前に逸《そ》らされた。

吉野爽太と若干の口論になったのはたしかだ。けど試合に向けたフォーメーションの話を真剣にしていて意見がぶつかっただけで、喧嘩《けんか》をしたつもりなんか灰島にはまったくなかった。なのに吉野は今日、試合から逃げた。吉野が来てないからには吉野のおふくろも来ていない。保護者会の中心人物がいないんだから下げてもらう溜飲だって半減なわけで、まったくもって今日の自分のスタメン落ちにはなに一つ意味がない。まわりがみんなしておれの足を引っ張ってるとしか思えない。おれはなにも間違ってない……はずだ……。指が冷たい。いっそう強くぎゅうっと締めつけられる。第二関節から先がこのまま壊死《えし》してなくなるんじゃないかという気がしてくる。

巣穴を守る熊みたいにコートサイドを行ったり来たりしていた監督に運営スタッフが近づいていき、肩を叩いて耳打ちした。監督が顔色を変え、ベンチに腰をおろして携帯電話でどこへやら連絡しはじめた。試合中になにを電話なんかしてるのかとアップゾーンが少々ざわめく。

試合は依然進行している。相手のミスに助けられてサーブ権を得、ひさしぶりにローテーションが動いた。後衛に入っていたリベロ・プレーヤーがコートを退き、センター・プレーヤーがかわりにコートに駆け戻る。

監督がリベロの小向《こむかい》を手招きした。未だ携帯を耳にあてているがコートの状況もちゃんと見ていたようだ。ベンチの前で片膝《かたひざ》をついた小向に数言指示を与えてから「行っていい」という手振り。小向が頷《うなず》いてベンチを離れ、アップゾーンに合流してくる。

「なにかあったのか？」

待ちかねたように仲間たちが小向を取り囲んだ。最後方で一人黙っている灰島に小向が一瞬視線をよこしてから、神妙な面持ちで答える。

「爽太のおふくろと連絡ついたんだって。病院から」

「病院？」

「爽太、救急車で運ばれたって……」

えっ、と声があがり、アップゾーンに動揺が走った。

灰島もさすがに息を呑《の》んだ。病院？　救急車？　って、なんで？　逃げた、んじゃなくて……？

「先生の携帯からさ、おふくろの声がちっちゃく聞こえちゃったんだけど……」

小向が再び意味深な視線をこっちによこした。手振りで周囲の者に顔を寄せさせて輪を縮めつつ、それでいてわざと灰島にも聞かせるかのように、はっきりと口を動かして。

「切ったんだって……手首」

そう言って、自分の手首の内側に手刀をあて、ぴっ、と切る仕草をした。

第一話 ‖ 少年ユニチカ

1. FIRST TOUCH

大晦日《おおみそか》からほとんどやむことなく降り続いた雪で冬休みあけの校舎はすっかり埋もれて、さながら時空の狭間《はざま》で孤立した漂流教室だった。真っ白に結露した窓ガラスが外界との接続を断ち、教室内にはストーブでぬくまった空気が循環することなく溜《た》め込まれている。天板に載った真鍮《しんちゅう》のたらいからしゅうしゅうと水蒸気が立ちのぼり、天井付近の空気が揺らめいて見える。

雪の重みで古い校舎が軋《きし》んでいるような気がして潰《つぶ》れやしないかと不安になるが、毎年なんの問題もなく持ちこたえている。いっそ校舎のどこかが——校長室あたりがぺしゃんこに潰れてくれたら改築の話が一気に進むのに。ていうかじいちゃんが寄附でもすればいいのに。今度本気で頼んでみようかな、と一瞬考えたが、新校舎が完成する頃には自分は卒業しているに違いないからそれもちょっと馬鹿馬鹿しい。市町の交流行事で以前訪ねた隣の鈴無《すずむし》市の中学は新しくて清潔で頑丈な鉄筋コンクリート造りで、灯油ストーブなど影も形もないのに全館が暖かだった。便所が寒くないという事態にカルチャーショックを受けたものである。

早く高校生になりたいなあと漠然と思う。町内に高校はないから近くても鈴無市まででることになる。しかし卒業までの残り一年と三ヶ月は永遠とも言える長さだ。

十四歳、中学二年の三学期がようやくはじまったばかり。

「転校生、到着遅れてるんやってねえ？」

極寒の体育館での始業式という苦行をこなし、教室に引きあげてきてからの妙に間延びした待機時間、黒羽紘子《くろばいとこ》が机の端に尻を引っかけて話しかけてきた。「よいしょ、っと」と尻をもぞもぞさせて太腿《ふともも》を乗せてくるので、黒羽祐仁《ゆに》は机についていた頬杖《ほおづえ》を思わず浮かせて身を引いた。ちょっとくらいは恥じらえや、おい……。都会の女子中高生がみんなそうしてるからってこの雪国では事情が違うというのに、女子の多くがスカートを短く詰めているのは理解に苦しむ。

紘子のクラスは隣の二組だが頻繁に一組に出張してくる。小学校入学から中学卒業まで基本的に学年の面子《メンツ》が変わらないからクラスが違おうが全員顔見知りだ。今も教室の戸口でお喋《しゃべ》りしている一組の女子グループからなにか情報を得てきたようである。

そう、転校生が来るのだ。滅多に遭遇できない新学期の一大イベントに、二年一組には少なからず昂揚《こうよう》した空気が漂っていた。学校から人間が減ることはあっても増えることなどまずない過疎の町だ。しかも東京から越してくるとのことで、期待はいやでも上乗せされる。

「かっこいいかなあ。かっこいいといいなあ」

「普通の顔やぞ。普通ちょい以下かも」

「祐仁が知ってるんはぁ、年長組のときまでなんやろ？　かっこよなってるかもしれんやろ」

「なってえんって。眼鏡《めがね》のチビの運痴《うんち》に決まってるわ。こんくらいの雪で怯《ひる》むような軟弱もんになり下がって……」

「なんやのあんた、なんか拗《す》ねてるんか？　ほんとお子様なんやで……」

「うっさいな。姉貴ぶるのやめろって言ってるやろ。そろそろ先生来るで自分のクラス帰れや」

　やめろと言ったそばから絃子は「はいはい、しょうがない子ぉやねえ」と思いっきり上から目線で肩を竦《すく》めて机から飛びおりた。短くしたスカートがひらりとひるがえった。

「アンダーパンツ穿《は》いてるで、覗《のぞ》いても無駄やよ」

「毛糸のパンツやってか。だっさいなぁ。無理してそんなカッコする意味がわからん」

「お洒落《しゃれ》は根性じゃ」

　つい口をついてでた憎まれ口を一蹴《いっしゅう》して絃子は乱雑に並んだ机の隙間《すきま》を抜けていった。毛糸のパンツは否定しなかったので本当なのか。

黒羽祐仁と黒羽紘子は苗字《みょうじ》は同じだが兄弟ではない。まぎらわしいのかわかりやすいのか……紘子は従姉妹《いとこ》だ。祖父が共通で父親どうしが兄弟。いつも姉貴ぶられるが同い年だし、黒羽が九月生まれで紘子が十月生まれなのでむしろ自分のほうが年上だと主張したい。

むくれ面でそっぽを向いて頬杖をつきなおした。黒羽の席は窓際の一番後ろ——だったのだが、今朝登校してきたら、さらに後ろに真新しい机と椅子が運び込まれていた。

窓ガラスの結露を手のひらで拭《ぬぐ》う。白い膜を取り払ってもその向こうに見えるものもただ一面の白い雪。今は雪はやんでいるが空には分厚い雪雲が居座り、いつまた降りだしてもおかしくない。校門から校舎に向かって雪の壁に挟まれた細い道が作られているが、早朝の除雪作業以降も降り続いた雪で再び埋もれかけている。

白の中になにか見えるものがないかと窓の外に目を凝らした。どんくさい奴だったから、雪に埋まって動けなくなってたりしてなきゃいいけどな……。

本当のところは紘子やクラスメイトの百倍も千倍も、誰よりも自分こそが転校生を楽しみにしているのだという自負が黒羽にはあった。引っ越しは冬休み中に済んでいるはずなのに家に顔を見せに来る気配がないから、それがちょっと不満でテンションが下がったというだけで。別れたのが幼稚園の年長組のときだから、八年。すっかり東京に染まってしまって、こっちでのことなど忘れてしまったんだろうか。

とはいえ黒羽も多くを憶《おぼ》えているわけではない。なにして怪我《けが》したかとかなにして怒られたかとか、そういうしょうもないエピソードは思いだせるのだが、系統だてて記憶をたぐろうとすると途端にぼやっと霞《かす》んでしまう。早くも再び曇りはじめたガラスで霞んだ雪景色みたいに——。

一面の白の中、黒いものがちらりと動くのが見えた。

はっとして腰を浮かせ、窓ガラスに張りついた。今にも雪崩《なだれ》を起こしそうな雪の壁の狭間を歩いてくる人影、大小二つ。

「……来た！」

思わず声をあげると、教室に満ちていた雑多な喋り声がさあっと引いた。一拍おいて歓声がわき、三十余人のクラスメイトが窓辺に押し寄せてきて顔を並べる。

ずんぐりしたダウンブルゾンに身を包んでいる小さいほうの人影は、見るとばあさんだ。ということはもう一つのでかいほうが？　って、あんなにでかいわけが……幼稚園児のイメージと一致しなくて一瞬混乱した。

けれど目を凝らして顔を見極めた途端、白く霞んでいた記憶の雪景色にぽうっと一つ、暖かい色の灯籠《とうろう》が灯り、鮮明な像が脳裏に浮かびあがった。

〝ユニのこと、ぜったい忘れんでの……。ほやけど、さようなら……〟

八年前、泣きじゃくりながら別れを告げに来た幼稚園児の面影がたしかにある。色白の顔を涙でべしょべしょにして、眼鏡まで濡れそぼっていた。身体中《からだじゅう》の水分を搾り果たすんじゃないかって心配になるくらい、手で拭っても拭っても大粒の涙が頬をつたい続けていた。

そうだ、眼鏡。幼稚園生にしてすでに眼鏡をかけていて、それも手伝ってか内向的でおとなしい印象だった。眼鏡でチビで運動音痴。それがまさしく当時の印象。一つ思いだすと次から次へと鮮明な部分が増えていく。一つの灯籠がまた新たな灯籠を灯し、どんどん明るくなっていく。

冬休み中に顔を見せに来なかったとか、そんなちっちゃなわだかまりはすぐにどうでもよくなった。もどかしい手つきで窓枠のネジ締錠をはずして窓を開け放つ。寒風が吹き込みクラスメイトから「さびー」と非難があがるがみんな声ははずんでいる。風と一緒に吹きあげられた細かな雪が顔面を叩《たた》く。頭を振って雪を払い、

「チカ！」

落っこちるほどに窓から身を乗りだして声を張りあげた。

人影が足をとめて視線をあげた。細いフレームの眼鏡越しに目があった。最初にどんな反応をするだろうと期待に胸が高鳴る。

見知らぬ他人と偶然視線が交わっただけみたいな、ところがそんな淡泊な反応をされただけだった。すこしも表情を変えずに顔を伏せ、昇降口の庇《ひさし》の陰へと消えていった。

取り残されたばあさんが困ったように会釈《えしゃく》をしてから、雪靴をきゅっきゅと鳴らしてあとを追っていった。

あれ……？　おれのことわからなかった……のか？

肩すかしを食らって黒羽は窓辺に立ち尽くした。校門から続く二つの足跡が雪混じりの白んだ風に渫《さら》われていき、それとともに記憶に灯った灯籠がふうっと全部掻《か》き消された。

「東京から来た、灰島公誓《はいじまきみちか》くん。おじいさんのおうちが町内にあって、幼稚園までは鈴無市に住んでたそうやで、もしかしたら顔見知りもいるんかの？」

教壇に立つひょろりと長い学生服にクラス全員の視線が集中する。何センチかな、おれと同じくらいありそう？　担任が縦書きで板書《ばんしょ》した氏名の「灰」の一画目にかかっている小作りの頭のてっぺんを眺めて黒羽はぼやっと考えた。眼鏡、チビ、運動音痴のかつての三要素のうち眼鏡が残ってチビが消える。あと未知数なのは運動神経。

色の白いつるりとした顔に、どっちかというとさっぱりした系統の目鼻立ち。濃いか薄いかで言えば薄い。見方によっては爬虫類《はちゅうるい》っぽいかもしれない。少なくとも紘子が甘い期待を抱いていたようなアイドル系の美少年の要素は皆無だ。正直言って無愛想。

教室に入ってきたときからまだ一度も笑顔を見せていない。唇を引き結んで足もとを睨《にら》んでいるだけでクラスメイトの顔を見まわそうともしない。うーん、人見知り？

「黒羽くん」

と、担任から唐突に名指しされて「へい？」と間抜けな声がでた。

「灰島くん、前の学校でバレーボールやってたそうやで、バレー部に入ります。部活のこと教えてあげてちょうだい。それと灰島くんは視力がよくないんやけど見てのとおり背が大きいで、きみが一つ後ろに。灰島くんは窓際の後ろから二番目ね」

未《いま》だひと言も声を発さないまま灰島がこくりと頷《うなず》き、鞄を提《さ》げて教壇をおりた。灰島の移動にあわせてみんなの興味津々《しんしん》の眼差しが移動する。直角に二回曲がって迷わずこっちに歩いてくるので黒羽が慌てて飛びのくように立ちあがると、黒羽の席にどっかと鞄を載せて腰をおろした。

「あ、」

と黒羽が言いかけたら、

「……？」

胡乱《うろん》げに横目で睨みあげてきた。机の上に置かれているのはいかにも都会の学校っぽい小洒落《こじゃれ》た臙脂《えんじ》色のスクールバッグで、小洒落た知らない校章が刺繍《ししゅう》されている。

「いや……いいけど」

そっちがいいならまあいいかと黒羽は一つ後ろの席についた。カッターでさんざん落書きが彫ってある自分の机と違って灰島のために用意された机はまだまっさらで、化粧板がぴかぴかと輝いている。

「なあ、いくつ？　七十はあるやろ？」

机の上に身を乗りだし、目の前の背中を小突いて話しかけた。黒羽は一七三センチ。中二男子の平均身長は一六〇くらいと聞くからかなり高いほうだ。

面倒くさそうに灰島が振り返った。細い瞳がまたじろっとこっちを睨んだ。眼鏡の薄いレンズを通るあいだに温度がいっさい吸収されたみたいな、愛嬌《あいきよう》とか好意とかいうものがまったく感じられない視線。

「ポジションは？」

というのが、教室に入ってきて以来初めて発した声だった。目つきと同じく愛嬌とか好意とかを東京からこっちに来る特急列車の途中駅で投げ捨ててきたんじゃないかという喋り方。声変わり終わってる……のかも？　通りのいい低めの声。微妙に悔しい。

「バレー部なんだろ？」

黒羽がぼさっとしているだけなので灰島が眉をひそめて言葉を重ねた。あれ、とイントネーションに違和感を覚えた。標準語だ。昔からそうだったか？　そんなはずないんだけど。

「あ、ああ、ポジションってそれか」前後の文脈をぶった切った話し方をする奴だ。

「さあ……。あんまりちゃんと決まってえん、ような気ぃするけど」

「決まってないって、試合のときどうしてるんだよ」

「試合？　あー……」

そんな単語ひさしく聞いてなかった。他人事《ひとごと》みたいな気分で口をぱくつかせてから、

「ちゃんとした試合とかでたことないんやっちゃなー。練習日も適当やし、名目で所属してるだけって奴が集まってる部やでな。ほら、うちって絶対どっかの部活入らんとあかんやろ。って知らんか」

灰島の顔に初めて表情らしい表情が浮かんだ、ように見えた。細い双眸《そうぼう》をわずかだけれど見開いて——これは驚き？　それからふっと目線を下げ、口をへの字に結んだ。悲しみ、だろうか？

「あっ、もしかしておまえのガッコってけっこう強かったんけ？」

やばい、泣かせたかも。なんだかわからないがまずいことを言ったようなので焦って話題を繋《つな》ごうとしたとき、

「ちっ……」

って聞こえた。まさか舌打ちしたか今？

「無駄にでかいだけかよ」

一般的に考えてこれから新しい学校で良好な人間関係を築いていこうという意欲に燃えているはずの転校生の口からでるとはにわかに信じられない毒舌を聞いた。それきり灰島はぷいと前を向き、金輪際話しかけるなオーラを背中いっぱいで発しはじめた。黒羽は口をぱかっとあけたまま唖然《あぜん》としてその恐ろしく頑《かたく》なな背中を見つめるしかなかった。

〝ユニのこと、ぜったい忘れんでの……。ほやけど、さようなら……〟

別れを惜しんで泣きじゃくっていた八年前の〝チカ〟は、どこの途中駅に落っことしてきやがった？

2. SECOND TOUCH

「チカやろ、公誓。そりゃ憶えてるわ」

「ほやろ？　頼《より》ちゃんかって憶えてるんなら、やっぱほんとにいたんやなあ」

「はー？　幽霊やったとでも思ったんけ。あっほやのう相変わらず」

頼道《よりみち》にせせら笑われて黒羽は「違うけど」と口を尖《とが》らせたが実のところ似たようなことは考えていた。尖らせた口で缶コーラをすすり、ポッキーを一本つまむ。膝《ひざ》の上には週刊漫画雑誌の最新号。

〃チカ〃は自分の中で創《つく》りあげて自分だけに見えていた、幼稚園児によくある空想の友だちとかいうものだったんじゃないかと半ば本気で疑いはじめていたのである。頼道の証言で実在していたことが証明されて安心したような、あれが成長してあれに成り果てたという現実を受け入れるくらいならいっそ実在していないほうがよかったような、気分は果てしなく複雑だ。

頼道は三つ年上の従兄弟《いとこ》だ。姓は同じく黒羽。紘子の兄である。頼道と紘子の父が祐仁の父の弟になる。黒羽家はここ紋代町《もんしろちょう》の一大地主で、祖父や曾祖父、さらにはその兄弟から連なる一族が町内全域に散らばっている。道を歩けば親戚とぶつかると言っても過言ではない。

三つ年上ということは高校二年生、言うまでもなく未成年だが、頼道の前にはビールの空き缶が何本も並んでいる。「ビールの二本や三本で酔えるわけねぇやろ。ただの炭酸や」と本人が言うからまあいいんだろう。ソファの上であぐらをかき、やたらとげとげしたフォルムのエレキギターをピックではじく。アンプを繋げていないのでちっとも響かない音が弦の上だけで小さく跳ねてぶつ切れる。

だだっ広い駐車場にプレハブ小屋がずらりと並んだカラオケボックスの一室である。こういう形態のカラオケボックスは今はもう古くて流行《はや》らないらしく、かわりに頼道みたいなバンドマンの練習場所として有効利用されている。いやまあ頼道はバンドマンでもなんでもないのだが。何故《なぜ》ならバンドを組んでないから。多趣味だが一つもモノにならなかったことがない。

「ほや、頼ちゃんはじいちゃんに将棋習ってたんやったっけ。ほやでチカのことも知ってるんやな」

おれは将来羽生《はぶ》になるって張り切っていたはずだが、頼道が将棋を指しているところなど近年さっぱり見ていない。モノにならなかったことの一つだ。

祖父は将棋を趣味にしており、祖父の将棋仲間のじいさんがよく家に連れてきていたのが〝チカ〟だった。じじい二人が縁側で将棋盤を挟んで微動だにしないあいだ、退屈が極まった幼稚園児二人が一緒に遊ぶようになったのは自然のなりゆきだった。チカが何者で、どこから来てるかなんて知らなかったし、遊び相手にするにあたって必要のない情報だった。両親と一緒に隣の鈴無市に住んでいて、紋代町の母方の実家によく預けられていたらしい……というのは、チカが引っ越してしまったあとで知ったことだ。

「なんであいつ東京に引っ越したんやったか、頼ちゃん知ってる?」

「なんや、おまえ憶えてえんのけ。おふくろが死んだんやろ」

じゃらん、とネックの上のほうを押さえて頼道が低い音を掻き鳴らした。

「おふくろが病気がちで入退院してたで、ほんでしょっちゅう実家に預けられてたんやって。ほやけどまあ結局死んでもて。じじいが葬式にでかけてったん憶えてるわ。親父のほうはもとは東京の人間なんやってな。こっちに義理がなくなったで、親父と一緒に東京に帰ったたっちゅうことや」

「ほんで？　なんでまたこっちに戻ってきたんやろ」

「知るか。なんでもかんでもおれに訊《き》くなって。本人がいるやろ本人が」

「本人に訊けてたら苦労せんわ……」

二度とあいつを〝チカ〟だとは思うまい。あれはあくまで〝灰島〟。チカとはどこかの時点でぶった切られた別人である。チカが帰ってくると聞いてどれほど心躍らせたか——期待が大きかったぶんそれをこっぱ微塵《みじん》に打ち砕かれた恨みは根深いのだ。

二月に入り、灰島が転校してきてから三週間がたっていた。その間灰島とはひと言も会話を交わしていない。席が前後なんだからなにかしら話す用がありそうなものだが、プリントをまわすときもいっさい振り返らず肩越しに突きだしてくるだけという暴挙っぷりだ。黒羽個人に対して気に食わないことがあるというのならまだわかるが、いや皆《かい》目《もく》心当たりがないのでさっぱりわからないが、クラスの誰に対してもそんな態度である。転校三日目になると授業中以外の時間にはヘッドフォンをするようになった。「話しかけるな」のこれ以上ない明確な意思表示。さすがにこれを読み取れない奴は中学生をやっていけない。最初こそクラスに融《と》け込んでもらおうとあれこれ話しかけて世話を焼く者もいたが、その三日目で全員脱落した。転校生という一大イベントで高まったクラスのテンションもすっかりだだ下がりだ。

「なあ頼ちゃん、おれって無駄にでかいんかな」

最後に投げつけられた灰島の台詞《せりふ》が妙に耳にこびりついている。読むともなしに漫画雑誌に目を落としつつ愚痴っぽく呟《つぶや》くと、頼道が「あぁ？」と柄の悪い声をだした。

「おまえ知らんのけ。無駄にでかいっちゅうんはおれみたいなんのことを言うんやぞ。無駄なでかさで言ったらおまえなんかまだ半人前じゃ」

「威張らんでも……」

「ていうかなあ、おまえのその質問癖うざいんじゃ。さっきから訊いてばっかやぞ」

たしかに頼道こそが無駄にでかい見本かもしれない。身長一八五センチ超。黒羽家の遺伝子というものがあるのか知らないが親戚を見渡すと全体的に身長は高めだ。ただし頼道は縦だけじゃなく横にもがっしりしているからバレーボールには向かなそうだ。ラグビーとか柔道とかのほうが似合う体型。でも多趣味のわりにスポーツに夢中になったことはなかったと思う。強《し》いて言うならバイクか……原付に毛が生えただけの125ccでてろてろ走ってるだけじゃスポーツとは言わないか。

プルルル、プルルル……。ドアの脇にある内線が鳴りだして、「お。もう五分前か」と頼道がギターから顔をあげた。

「祐仁、三十分延長」

「まだ帰らんの？」

こっちはだいぶ飽きているのだが。渋々腰をあげたとき、テーブルの上にあった頼道の携帯電話までもがバイブをともなって鳴りだしたので二人して軽くびくっとした。液晶表示に目をやるなり頼道が「げ」と露骨に嫌な顔をした。頼道が携帯にでるあいだに黒羽は内線にでる。

『五分前っすけどー』

「えっと、三十分ー」

『延長っすねー。ありがとーございまーす』

怠《たる》いやりとりをしていると頭の上から頼道の手が伸びてきて受話器を抜き取り、

「延長やっぱやめで。帰るわ」

前言を撤回して受話器を壁に戻した。

「帰還命令？」

「おれやなくておまえにな。ほれ」

耳に押しつけられた携帯電話から『祐仁？』と紘子の声が聞こえた。『伯母ちゃんから電話あったよ。もうご飯やよって。そろそろ五分前やろ？　切りあげて帰りなさい』

「え、なんでわかったんや」

『あんたらの行動なんてお見通しや』

ぞっとして頼道を見ると頼道が肩を竦めてみせた。家にも絃子にもなにも言ってきてないのに、頼道と一緒にいることもカラオケに入った時間もまさしく延長しようとしていたことも見透かされている。母と従姉妹の連携プレー恐るべし。

『お金あんたが払ったらあかんよ。ちゃんと頼道にださせて。あんまり頼道とつるまんときね。クズとつきあってるとクズになるよ』

自分の兄貴に対して容赦なく辛辣《しんらつ》なことを言い放って電話は切れた。

「なんやって？　妹殿下」

「頼ちゃんが金だせって」

「こないだバイク擦《こす》ってもてなあ。祐仁だしといてや」

まあそうなるとは思ったけど。頼道がなにかにつけ祐仁をつきあわせるのは、言ってしまえばたかりだ。頼道の父は次男。祐仁の父は長男。歳は頼道が上だが祐仁のほうが跡取りの血筋で、頼道がよくつるんでいる高校生や大学生の仲間曰《いわ》く「本家のボンボン」。

たかられてるのは承知の上で、それに関して別に不満はない。赤ん坊の頃から遊んでもらっている頼道はなんでも話せる気楽な相手だし、本家では絶対見られないある種の漫画や動画も頼道の部屋に行けば見放題だし、それにまあ、どうせ暇だし。

いつものように別棟の受付で黒羽が支払いを済ませ、頼道はそのあいだに空き缶や吸い殻をレジ袋に突っ込んで証拠隠滅《いんめつ》し、駐車場で合流した。

頼道がダウンジャケットの背中を寒そうに丸めて踵《かかと》で地面を蹴り、

「うお、凍ってるげ」

がらんとした駐車場にいやに声が響いた。

青色のセロファンをかけたような夕闇に浮かびあがる雪景色は恨めしげな幽霊の顔にも似て見える。珍しく雪が降っていない夜だったが、陽《ひ》が落ちると気温がぐんぐん下がってきていた。駐車場は除雪がされているが、昼のあいだに踏み固められた雪が凍結し、コケたが最後尻に青痣《あおあざ》をこしらえるはめになるのは間違いない。空気が硬く、痛い。薄い氷の板を顔面で割りながら歩くような感じ。

頼道が愛車の125cc、どういうネーミングセンスなんだかその名もコマシ号にまたがってヘルメットを取り、

「ほれ」

と、自分でかぶるのではなくこっちに放《ほう》ってよこした。いつもどおり黒羽が頼道のギターケースを担ぎ、メットをかぶってタンデムシートにまたがる。無駄にでかいうえダウンジャケットで膨れあがった頼道の背中に遮《さえぎ》られて前はほとんど見えない。

ぎゅるるるるっと後輪が空転してから氷を削って走りだした。どうにも危なっかしく
「ちょお、ひやっとしたわ。安全運転でなー」視界を塞《ふさ》ぐダウンジャケットの肩に顎《あご》を

乗せて忠告すると頼道が「わーってるわーってる」と、振り返って答えるのでは完全なるよそ見運転だ。

言ったそばから案の定、

「頼ちゃん、人!」

『カラオケボックス紋代』の巨大な看板の陰から歩行者が現れた。死角になっていたため気づいたときには目と鼻の先だ。歩行者のほうもバイクの接近に気づいていなかったようで、ヘッドライトに照らされてから驚いたように振り向いた。頭にかけたヘッドフォンと眼鏡のレンズがライトを白く反射した。あれっ——⁉

頼道が急ブレーキをかけたがコマシ号は横滑りして歩行者に迫る。タイヤが側溝《そっこう》に引っかかり、黒羽はタンデムシートから投げだされた。凍りついた雪の上を背中で滑り、後頭部をどこかにぶつけたところでようやくとまった。

「痛《い》って——……」

薄目をあけて周囲を確認すると、頭の後ろにガードレールの支柱があった。歩道の端まで滑ってきたようだ。コマシ号のヘッドライトが離れたところに浮かんでいる。

「おい、黒羽っ」

呼ぶ声とともに逆光の中を駆けてくる影があった。そばに来てかがみ込むと重たげな音がして荷物が地面にぶつかった。雪の上についたジャージの膝。知らない校章がついた臙脂色のスクールバッグ。重い音がしたのは袈裟懸けにしたエナメルのスポーツバッグだ。

　黒羽って呼んだなあ今、と頭の片隅でそんなことが気になりながらのろのろと上体を起こした。

「ああ、へーきや。怪我はしてえんと思う」

　顎に食い込んだヘルメットのストラップをゆるめる。地面がつるつるに凍っていたのが逆に幸いし、派手に吹っ飛んだわりにダメージは少なかった。ヘルメットと背に担いだギターケースのおかげも大きい。

「そっちはへーきけ？　ぶつからんかったよな、チ……」黒羽、と呼ぶ声。昔は下の名前で呼んでたこと、憶えてないのかあえて呼ばないのかはわからないが「……灰島」と、こっちもあわせた。

「なに……してたんや、こんな時間まで。家に帰っててえんカッコやな」

　どうにも正面から顔を見られず、立ちあがってギターケースの無事をたしかめ（……る、ふりをし）ながら問う。角張った形のエナメルバッグを背中側に押しのけて同じく立ちあがった灰島の手にふと目が行った。胸の前でバッグのストラップを握った右手、首にかけたヘッドフォンを押さえた左手、両手の指に白いテーピングがされている。

「ああ。部活」

灰島が端的《たんてき》に答えた。

「部活……って、バレー？」

訊くまでもないことを確認してしまった。転校初日に灰島に言ったとおり男子バレー部はまともに活動していない。だから黒羽もこうして放課後から夕食どきまで頼道と暇を潰しているわけで。部活のことを教えてやれと担任に言われたが、教えることがないのでなんの義務も果たしていなかった。

「体育館の前に貼ってあるだろ。あれ見ればわかったから」

「あー、なんやったっけ、あの表な」

運動部の体育館使用日の割り振り表というのが体育館前の掲示板に貼ってあるのだ。何曜日はステージ側が何部、用具室側が何部、というようなもの。すっかり忘れていたが我が部にも一応決まった練習日があったのである。びっくりだ。だけど……。

「……一人で？」

自分はもちろん他の部員だって誰も練習日など意識していなかったはずだ。転校してきて三週間になるが、いつから……？　教室では誰とも口をきかずヘッドフォンで防御殻を作り、放課になるとたいていいつの間にか教室から姿を消している。あんまり学校にいない奴だと思っていたのだが、実は帰ってなんていなくて体育館に直行して、この陽が短い季節、暗くなって路面が凍る時間まで一人で居残ってたっていうのか……？

意味がわからない。というのが正直な感想だった。

頼道がバイクにまたがって徐行してきた。片っぽのサイドミラーがひん曲がっているが一応コマシ号も無事のようだ。

「ギター傷つかんかったやろな、祐仁」

「知らん。自分で見てや」

「傷ついてたら弁償せぇや。あとコマシ号の修理代」

「えーっ⁉　コケたの頼ちゃんやのに？」

「ギターしょってたんはおまえやろ」

「論旨《ろんし》がめちゃくちゃや」

「おう、おまえチカやろ。チビっこがでこなったなあ。祐仁と同じくらいあるんじゃねぇんけ。怪我してえんな？　わかってるやろな、こっちが勝手にコケただけで、おまえにはなんもしてえんでな。昔面倒見てやったやろ」

後半はドスをきかせた脅しになっている。灰島が眉をひそめて頼道を睨んだ。

「頼ちゃんや。憶えてえんけ？　じいちゃんとこに将棋しに来てた従兄弟」

あいだを取り持とうとして黒羽は口を挟んだが、

「憶えてるけど。だから？」

話をぶった切る言いように絶句させられた。

目をあわせる価値すらないと言わんばかりに灰島は頼道から視線をはずした。その視線がふとなにかを見つけて上を向いた。仰ぎ見た先には切れかけた蛍光灯にうら寂しく照らされる『カラオケボックス紋代』の古びた〝無駄にでかい〟看板。

「黒羽」

冷ややかな視線を看板に向けて灰島が呼んだ。怒鳴りつけられたわけでもないのに黒羽はつい心持ち身構えた。

「つまんないことしてるな、おまえ」

言い捨てて灰島はヘッドフォンを頭にかけなおし、こっちの反応を見ることなく背を向けて歩きだした。制服や体育館履きが詰まっているのだろうか、いびつに膨らんだエナメルバッグとひょろ長い背中が青暗い夕闇の向こうへと沈んでいった。

「なんやあいつ。ほんとに感じ悪《わる》なったな」

頼道が口をひん曲げて毒づいた。

「学校でもあんな感じやで浮いてるわ」

「けっ、おふくろがえんとあやってヒネくれるんかのう」

「頼ちゃん、ほーゆうことはあんまり……」

「わーってるわ。帰るぞ。さびーし腹減った。今日は胸くそ悪いシメんなったわ」

メット越しに拳固《げんこ》で黒羽の脳天をぶん殴ってからメットとギターケースを黒羽から取

りあげ、

「おまえ歩いて帰れ」

「ちょ、なんで？　おれも腹減ったし、歩いてったら家着くまでに凍死するって」

「あいつは歩いてったやろが。またコケたら洒落にならん」

「一人でも二人でもコケるときはコケるやろ」

「ほやでコケるんはおれ一人でいいんじゃ。明日バイク屋行くで金持ってこいや」

げろんげろんと品のないエンジン音を轟《とどろ》かせてコマシ号は無慈悲に走りだした。

遠ざかっていくテールランプの向こうからなにかが飛来した。夜空に放物線を描いて飛んできたそれを「わっ」とジャンプしてキャッチすると、せめてもの仏心——温まった使い捨てカイロだった。

3. THIRD TOUCH

男子バレー部の次の体育館使用日は金曜。ひさしく見ていなかった掲示板で黒羽はさりげなくそれを確認していた。そして当日の放課後、灰島の動向に注意していると、掃除が終わるなり待ちわびたように荷物を担《かつ》いで教室をでていった。

黒羽も急ぎロッカーから自分の鞄を引っ張りだしてあとを尾けようとしたのだが、

「ちょお待って。帰る気か？　今日のゴミ当番あんたやろ」

クラスの女子に行く手を阻まれ、教室のゴミ箱の用をなしている一斗缶二つを押しつけられた。校舎の裏手にあるゴミ捨て場へ行くには昇降口で外履きに履き替えて一度外にでる必要があるのでなんだかんだで面倒くさい。加えてこの季節だ。

さぶいさぶいと文句を垂れながら駆け足でゴミ捨て場まで往復するあいだにかなり時間をロスしてしまった。ぴったり尾行して放課後の灰島の行動を一から観察してやるつもりだったのに、さっそく計画が狂った。いや別に計画どおり綿密に遂行しなきゃいけないようなミッションではまったくなくて、思いつきの暇潰しなのだが——。

〝つまんないことしてるな、おまえ〟

そう言い切る灰島は、だったらどんな〝つまんなくないこと〟をしてるのか見てやろうという、ちょっとした対抗意識である。

今日は女子バスケット部と男子バレー部が半分ずつ体育館を使う日だ。鉄紺色の重い扉を押しあけて中を覗いた途端、

「ダッシュ！」「はい！」「次！」「はい！」

熱気に満ちた女子の声が飛び交う中に首を突っ込む形になった。

女バスは女バレと並ぶ女子運動部の大派閥だ。ざっと見たところ部員数は二十名ほどか。ちょうどダッシュが終わってボールを使った練習に移るところのようだ。

一方で中央に引かれた緑色の仕切りネットの向こう側に目を凝らせば、そっち側のコートはウォーミングアップどころかまだ準備も終わっていなかった。バレーボール用のポールの脇で灰島がネットを張っていた。黒無地のトレーナー、黒地に蛍光色のラインが入ったハーフパンツ、その下に足首まである黒のアンダーパンツを穿き、運動靴はミズノだろうか？　たぶん本格的なバレーボールシューズだ。いずれもずいぶん着慣れているように見える。先入観かもしれないがいかにも都会の中学生っていう感じで垢抜《あかぬ》けてるのが癪《しゃく》に障《さわ》る。でも顔はアイドル系じゃないから許す。ネットの紐《ひも》を結んでいる両手の指に今日もテーピングをしているのが見えた。親指と人差し指と中指の左右三本ずつ、指先から爪を覆って、第二関節にはかからないあたりまで。

一人でネットを張り終えると灰島はコートの外周を走りはじめた。女バスからだいぶ遅れてやっとアップ開始だ。ラインに沿って淡々と、一定のペースで、視線をすこし下げて……一人きりで……足を運ぶその姿を、黒羽は鉄扉の陰で知らず知らず息を詰めて見つめていた。

横向きのステップなんかを織りまぜて軽いジョグを終え、丁寧にストレッチをしてから、ボールが入った籠《かご》をコートの一方のエンドラインのほうへ押していく。サーブ練習をするようだ。コートの後端のラインがエンドラインである。

六人制バレーではサイドアウト（サーブ権の取得）のたびに時計まわりに一つずつポ

ジションがローテーションし、バックライト（後衛右）に来た者がサーバーとなる。エンドラインより後ろのエリアがサービスゾーン（サーブを打っていい場所）だ。まがりなりにもバレー部員なので黒羽も基本くらいは教わっている。

左手にボールを載せ、目線の高さにまっすぐ、綺麗《きれい》に腕を伸ばして、一拍だけ静止する。ぴたりと静止したその姿がすごくキマっている。腕の振りに手首のスナップも使ってボールをやや前方に放りあげ――トスが高い？　そうだ、ラインよりずいぶん後ろで構えるなと思ったし――ボールを追いかけるように助走をつけて跳躍し、トスを放った左手で打った。

ジャンプサーブ！　驚いた。全国大会クラスでもない限り中学生でジャンプサーブをやる奴なんてほとんどいないと思っていた。

高い打点から、身体をくの字に折るくらいの勢いで打ち込まれたボールは、しかしわずかに低くてネットにかかり、自コート側に落ちた。

だが入る入らないは黒羽には関係なかった。すごいハイレベルのものを見せられた気がして陶然としてしまった。ジャンプサーブとはサーブでスパイクを打つようなもので、もっとも強烈に相手コートに飛んでいく攻撃的なサーブだ。先輩たちの中にもジャンプサーブを打つ者なんていなかったから初めて生で見た。すげぇ、かっこいい……つい鉄扉の陰から身を乗りだして次の一本をよく見ようと目を凝らす。

灰島本人は入らなかったことが気に入らないようで、むっとした顔でネットを睨みながら籠から次のボールを取る。籠のボールを使い切ってからまとめて球拾いするつもりのようだ。なにしろ〝ぼっち〟だから。

灰島が再びサーブの構えを取ったときだった。

「なあなあ、転校生」

仕切りネット越しに隣のコートから声がかかった。紘子と同じクラスの、たしか女バスの部長だ。女バスの他の面々はタオルを手に壁際に散ってひと息ついている。露骨に迷惑そうなオーラを立ちのぼらせて灰島がボールを持った左手をおろした。

「今日も一人なんか？　見てわかると思うけど、こっちはすし詰めなんやって。一人でやってるんやったら隅っこでもいいんと違う？」

要はコートを明け渡せと言っているわけだ。考えてみれば今まで放置されていた男バレの枠を他の部が親切に空けておいてくれたわけがない。「隣が男バレの日は体育館全面使える日」というのが暗黙の了解になっていたのだろうと容易に想像できる。それがある日突然やってきた灰島が、隣にひと声かけるでもなく当たり前って顔でネットを張って一人で練習しはじめる……今日も全面使って練習できると思い込んでいた他の部は釈然としない顔でそれを見やる……ありありと目に浮かびすぎてこっちがいたたまらなくなる。

灰島に圧力をかけるようにいつしか仕切りネットの前に女バスの面々が集まっていた。

「のぉ、一人で遊んでるだけなんやったら隅っこ行ってくれてもいいんでないの」「二面使えたら効率的に練習できるんやけど」「部員数で面積割ったら公平やと思う」集団からやいのやいのと声があがる。女バスといえば凶暴な女子の集まりだ。アフリカの雌ライオンの群れに取り囲まれた奈良公園のシカという構図が浮かんだが口にだしたら確実に女バスにシメられる。

見ているだけの黒羽のほうがすっかり怖《お》じけているのに、灰島は微塵も怯んだ様子がなかった。顎を心持ち反らし、見下すように目を細めて対峙《たいじ》する集団を睨む。この空気の中であの厚かましい態度が取れるとはあいつの神経の太さは下水道管並みか？　いや空気を読む神経というのがそもそも欠落してるんじゃないか。うん、転校初日から今日までのあいつの態度から察するにそんな気がする。

「一面ないと練習にならない。人数は関係ない。練習場所が足りないんだったらそっちの顧問に相談しろよ。こっちは正当な権利を使ってるだけだ」

決して大声ではないのに空間を超えて耳に届く性質の声と、地元の方言に比べて尊大で冷たく聞こえる標準語が女バスを黙らせた。テレビのボリュームを絞ったみたいに文句の声はもごもごした弱々しいものになり、しかし納得いかないという顔を見合わせて
「なんやあの子、やな感じ……」「なんで偉そうなんや……？」

うーむと黒羽は胸中で唸《うな》った。灰島のわりとまともな長台詞を初めて聞いたが、もしかしたらあいつは喋らないほうがまだ好感度が下がらないのでは……。正論は正論なのだが、なにしろ言い方の感じが悪すぎる。

「なあ。一人やないんやったら文句ないわけやろ」

鉄扉の陰から身を晒《さら》して声をあげてから、自分の行動に自分で驚いた。女バスがいっせいに振り返ったので内心たじろぎつつ表向きには圧力に負けまいと胸を張り、

「お、遅れてすまん……な」

それでも顔が引きつって、声が尻すぼみになった。

「黒羽祐仁やないんか」「ああ、紘子の従兄弟の？」「男バレやったっけ」女バス一同がざわついたが、一番驚いていたのは灰島だったかもしれない。眉をひそめてひどく戸惑ったような、なんのつもりだとでも言いたげな顔をした。なんのつもりって……なんのつもりだろう？

「なんのつもりだよ」

実際に言われた。

灰島はコートエンドからネットのほうを向いて立ち、左手でボールをついている。床

に跳ね返ったボールが吸いつくように手に収まる。黒羽はコートサイドにあぐらをかいて鞄を脇に置いた。手近な場所にボールが転がっていたので手を伸ばしてたぐり寄せた。ひさしぶりにバレーのボールに触ったかも。なんとなくくすぐったい感触。

向こう半分のコートでは女バスが練習を再開していた。やり場のない怒りをぶつけるような乱暴なドリブルの振動が尻に伝わってくる。体育館の床なんて綿埃《わたぼこり》がふわふわしているものなのに、練習前にモップがけしたのだろうか、綺麗だった。一人で……？

練習に入るまでに時間がかかるはずだ。

「見物に来てやったんや。おれがやってることつまらんってクサすくらいやで、そっちはよっぽどおもろいことしてるんやろなって。ほやで別におまえを助けに来たわけやないぞ。さっきのはあれや、ノリや。おまえやでっちゅうんやなくて、一対二十じゃ卑《ひ》怯《きょう》やしな」

「二対二十になってもたいして心強くないんだけど」

「おっまえ、かわいげないなあ。ほーゆうこと言ってるで友だちなくすんやぞ」

灰島の手のひらと床のあいだをリズミカルに往復していたボールがぼこっと灰島のつま先にあたってあらぬ方向に飛んでいった。……ん？　今こいつ動揺した？

仏頂面で灰島は籠から別のボールを取った。軽くボールをついてから、左手にボールを載せてまっすぐ前に伸ばす。目を細めてボールの先を睨む。精神統一の儀式は長くない。時間にして一秒くらいだ。片手で回転をつけて前方高くにトスを放った。自分であげたトスを追って大きく三歩走り込み、膝を深く沈めて跳躍。しなやかな木材でできた弓のように身体をしならせ、くの字に折ると同時に左手を思い切りよく振り抜いた。そういえば授業であてられて板書するときも左手でチョークを持っていた気がする。

　空中のボールを正確に捉《とら》えてずばんっと豪快な音がはじけ、「おお」と黒羽は歓声をあげた。今度はネットを越え、相手コートの向こう端に鋭いサーブが突き刺さった。なんだ、別に動揺してないかも。

「すげえんやな、ジャンプサーブできるなんて。テレビでしか見たことないわ」

　手もとのボールを投げあげて打つ真似をするのだが、灰島みたいに打てる気はぜんぜんしない。素直に賞賛してやったのに灰島はまったく気をよくしたふうもなく、

「三週間これしかやってないから、すこしは上手《うま》くならないと絶望する。それにもっと精度あげなきゃまだ試合じゃ使えない」

「サーブしか？　なんで？」

　脊髄《せきずい》反射で訊いたら睨まれた。質問癖がうざいって頼道に言われたばかりだっけ。

「一人でできるの、これしかないだろ」

　あ……。と漏らしたきり黒羽は言葉を失った。

　灰島が勝手にやってることなんだからこっちの気が咎《とが》めることなどないのだが、それ

でも後ろめたさは感じる。一人でモップかけて、ネット張って、アップして……で、一人でサーブ練して、籠のボールを使い切ったら球拾いして、またサーブ打って……一人でダウンして、片づけて掃除して、帰る。〝そっちはよっぽどおもろいことしてるんやろな〟——面白いわけがない。しかも隣のコートからは一人でやってるんなら場所明け渡せと常にプレッシャーをかけられて。

頭の中で会話がすこし巻き戻されて再生された——〝二対二十になってもたいして心強くないんだけど〟

ボールを床に置き、それをつっかえ棒にするようにして腰をあげた。

「……ジャージないけど、つきあってやってもいいぞ。せっかく来たんやし、今日は頼ちゃんとも約束してえんし。ほやけどおれヘタクソやでな。練習相手にならんかもしれん。一人でやったほうがましなんやったらもう来んわ」

アップがわりに屈伸しながら言い訳みたいに余計な言葉を重ねる。また「なんのつもりだ」って言われるんじゃないかと耳がつい構えている。最後に背中を反らす運動をして、身体を戻しつつちらりと灰島の顔色を窺《うかが》った。どうせ人を見下した顔して——。

細い目をこれでいっぱいなんじゃないかというくらい大きく見開いて灰島がこっちを見つめていた。瞳の奥が潤んでいるように見えて、えっ泣く？　なにも悪いこと言ってないよな？　一瞬泡を食ったが、違う——？

光だった。眼鏡のレンズに遮られて温度というものが感じられなかった瞳に、熱っぽい光が宿ってきらきら輝いている。喩《たと》えるならば初めて行った恐竜博物館でティラノサウルスの動く実物大ロボットに興奮する小学生男子、みたいな。

「な、なんやいったい……」

今までの印象からかけ離れすぎててなんかもう気持ち悪い。

「ちょっと待ってて。コンタクトに替えてくる」

「へ？　なんで？」

「どうせ一人だから、実は怠《なま》けてた。あと、」

扉に向かってきびすを返したかと思ったら灰島は一度足をとめて振り返り、出端《でばな》を挫《くじ》かれて突っ立っている黒羽の顔を指さして、高飛車《たかびしゃ》に言い残していった。

「おまえアップのやり方ぜんぜん駄目。ストレッチからやりなおすからな。待ってろ」

4. MISCONDUCT

灰島公誓はバカである。いや総合的には成績は決して悪くない。三学期の期末テストの学年順位は中の上というところ。ただしこの中の上の内訳を見ると唖然とする。数学と社会に関しては平均点を大きくうわまわる、どころか学年トップクラス。数学、九十五点。社会、九十九点――九十九点って、そんな答案生まれて初めて見た。二つ並んだ9の輝きに目が眩《くら》んでのけぞった。

しかしここから雲ゆきが怪しくなる。理科、七十三点。英語、六十点。数学と社会の高得点はなんだったのかというほどこのへんはごく普通だ。どうやら計算系と記憶系に得意分野が異常に偏ってるらしい。

国語、
三十点。

……偏ってるな、異常に。

「おお、ここらへんずらーっとバツや。壮観やなあ」

小説を読み解く問題だ。「登場人物の心情を答えよ」という類《たぐ》いの問題に対してとんちんかんな解答が続き、国語教師の心情を表すようにバツの書き方がやけくそになっていく。

「設問『王はなぜメロスを許したと思うか、八十字以内で答えなさい』。答え『メロスがはだか　牛が、』」なにかもうちょっと書こうとした苦悩の跡は窺えるが文章にならないまま挫けている。……牛？

「うるせーよ。人の答案いつまでもネタにしてんな」

「痛《い》てて」

背中にぎゅうっと体重をかけられ、股《また》のあいだに広げていた答案用紙に突っ伏して黒羽は呻《うめ》いた。二人一組でストレッチをしている他の部員から笑い声があがった。

「祐仁は人のこと笑えんやろー。数学四十二点、社会五十五点」

「あっ、読みあげんなや。プライバシーの侵害やぞ」

「国語……あれぇ？　八十七点。悪くないなあ」

「まじで？」

心外そうな灰島の声とともに背中が軽くなった。「ふふふ。国語だけは得意なんやっちゃ」したり顔で身体を起こしたが、黒羽の国語の答案用紙をひったくって戻ってきた灰島が小難しい顔で答案を睨みながらまた上半身全体で体重をかけてぎゅうぎゅう押してくる。黒羽は開脚前屈の体勢で床に向かって「痛ててて」と零《こぼ》す。

「牛の問題、なんで答えこうなるんだ？　ぜんっぜんわかんねえ」

「まず牛から離れろや……。牛がでてくんのもっと前の問題やろが。おまえが高校行けるんか心配になってきたわ」

バレーの推薦入学ってあるのかなとちらりと考えたが、あったとしてもこの弱小部が大きな大会で注目されるようなところまで行く可能性はないから関係ないか。灰島が前にいた中学であれば推薦の話が来たりするのかもしれないが——灰島本人に聞いたわけではないが、ちゃんとした指導者がいるそこそこ強豪のバレー部にいたことは疑いようがない。こういう本格的なストレッチのメニューも灰島と一緒に練習するようになって初めて知ったものだ。次は黒羽が仰向けになり、灰島が黒羽の足を持って丁寧に伸ばす。灰島からバレーを取ったらなにも残らないから、バレーが強い高校に行くのが本懐《ほんかい》なんじゃないかと思うのだが……。

灰島公誓はバレーバカなのだ。

期末テスト一週間前から休みになっていた部活動が解禁になり、さっそくの練習日。活動していると知ればでてくる者はいるもので、存在していないも同然だった男子バレー部も最近は一応部活の体裁が整ってきた。六人ぎりぎりという人数で、未だ試合は一度もしていないが。

ひとどおりのストレッチを終え、立ちあがって背中を伸ばしていたときである。

「黒羽、おまえ今何センチ？」

灰島が黒羽のつむじを見あげて言った。

「ん？　一七三やって言ったことなかったっけ？」

「測ったのいつだよ」

「んー……秋やったかな、十一月……？」

つむじに手をやると寝癖がぴょこんと立っていた。朝から一日中この頭を人前で晒してたのかと思うとへこむ。

体育用具室の扉の枠に身長を測れる目盛りがあり、部活や体育の授業中に遊びで背比べをするのに使われている。たぶん何十年も前の在校生の手によるものだろう。一五〇センチから一八〇センチまで一ミリ単位でカッターナイフで刻みつけられているというかなり精緻《せいち》な作業の結晶だ。

「一七五・〇」

粉末ドリンクの空き箱を黒羽の脳天にあてがって灰島が目盛りを読みあげた。

「おー、二センチも伸びてたんかあ」

「今度おれ」

場所をかわって次に灰島が目盛りに背中をつける。

「踵あげんなやー。えーと、一七二てん……七」

「あ。おれも伸びた」

というわりには灰島は嬉《うれ》しくなさそうだ。むすっとした顔で目盛りを離れて「二センチ差」とぼやいた。

「二・三センチ差。四捨五入すんなや。おまえはセッターなんやで、背はそんな気にせんでいいんでないんか」

「好きな選手がいて。全日本にも選ばれてる阿部《あべ》。セッターだけど一九一ある。セッターだってでかいほうがブロックも有利だし、トスも速くだせる。あと阿部は両利きで、左のツーが上手い」

「あれ？　ほういやおまえも……」

灰島はサーブを左で打つ。でもそれ以外のときどっちで打ってたか……はっきりした印象がない。左で打ってた記憶も右で打ってた記憶もあるような。

「両利きやったんか」

「両利きにしたんだよ」こともなげに言ったがそんなこと簡単にできるものなのか。

「まだ十八センチ差か……。でも阿部はジャンプサーブ打たないから、背が追いついたらおれのほうがすごい」

ことバレーの話題になると灰島は普段より饒舌《じょうぜつ》になる。灰島の喋り方というのは基本的に文脈の前を端折《はしょ》って後ろをぶん投げたような感じなのだが、そこそこ長台詞を丁寧に喋るようになる。よっぽど好きなんだなあと、あきれと感心を半々に思う。

「自信家なんかただのあほなんか……全日本代表と比べようなんて考えたこともなかったわ」

苦笑いしたらじっとりした目で睨まれたので怒らせるようなこと言ったかと怯んだ。未だ灰島の逆鱗《げきりん》がどこにあるのかいまいちわからない。

「黒羽さ、ミニゲームのときブロック見てクロスとストレートを打ち分けてるだろ」

「クロスとストレート……って、ああ、中にまっすぐ打つんがストレートで、ちょっとひねって外に打つんがクロス」

「逆だバカ」

首をかしげつつ手振りを交えて答えたら悪口つきですっぱり否定された。

「コートを斜めに抜けるスパイクがクロス。サイドラインと平行にまっすぐ抜けるのがストレート。おまえは前衛で打つとき、ネット前で中を向いて踏み切る癖が強いから、素直に打てばクロスになって、外にひねるつもりで打てばストレートになる」

「ややこしいな……」

「別にややこしくないけど……まあいいや。追々《おいおい》仕込む」

「仕込むって」毎度思うがなんでナチュラルに上からなんだ。

「頭でわかってなくても、目がいいからブロックに対応できてる。空中で体幹《たいかん》の回旋《かいせん》が自然にできてるところとか、滞空時間の長さとか、肩の柔らかさとか……そういうの、たぶんおまえがもともと持ってる資質なんだ。おまえ、上手くなるよ。ちゃんとやればあっという間に。背ももっと伸びるし」

「……？　熱でもあるんけ？」

疑わしげに灰島の顔を見つめてしまい、疑わしげな顔を返された。

「なんだよ。変なこと言ったか？」

「いや、おまえっていつも偉そうやで、そんなふうに素直に人を褒めたり認めたりせん奴やと思ってた」

「認めるところがあれば認めるの当たり前だろ。けど、ないものは認めようがない」

実に心外そうに口を尖らせて灰島は言い切った。

灰島は決して社交辞令を言わない。謙遜《けんそん》しない。遠慮ができない。なるほどある意味裏表がないのかもしれない。……けど、それじゃあ生きづらいだろうと思う。たいていの人間は目の前で本当のことなんて言われたくないのだ。

〝上手くなる〟

じわ、とあとになってから身体の奥にくすぐったさが滲《にじ》んでくる。真に受けるのも恰《かっ》好《こう》悪いからわざと気のない顔をして、

「バレーの才能あってもなあ。人気ないやろあんまり」

とうそぶいた。灰島と違って自分は目の前に建前をいっぱい並べて、現実を曖昧《あいまい》にして軽薄に生き流してきたような気がする。

＊

陽が長くなり、寒気《かんき》もずいぶんやわらいできた。真冬のあいだは気を滅入《めい》らせる雪雲に閉ざされていた空にも晴れ間が覗くことが多くなった。二月にカラオケボックスの前

で灰島を危うく轢《ひ》きかけたときにはとっぷりと陽が暮れていたが、三月半ばともなると同じ時間帯でも空にはまだ淡い光が残っている。遠くに望む納久手山《のくで》の稜線《りようせん》を錆《さ》びたような赤銅色の夕焼けが縁取っている。

家の方向が一緒なので部活がある日はなりゆきで灰島と一緒に帰ることになる。袈裟懸けにしたエナメルバッグをがちゃがちゃ鳴らし、でこぼこ道をスノーシューズで踏みつけて歩く。路上の雪は日中融けてシャーベット状になりかけたものの、車の轍《わだち》や足跡が穿《うが》たれた形で再び凍りはじめている。十二月から三月の降雪期は小中学生は自転車通学禁止になるため徒歩で四十分かかる道のりだ。どう考えても家に着くまでに餓死するので二人とも歩きながら菓子パンを頬張っている。ちなみに部活の前にもパン二つ詰め込んで腹ごしらえしたし帰ったらもちろん夕飯も食う。とにかく腹が減る。そしてとにかく眠い。

一、二ヶ月前までは中学生をすっ飛ばしてなるべく早く高校生になりたいと思っていたはずだが、そういえば最近そんなことも考えなくなっていた。部活終わって帰って飯食って風呂入ったら即行で寝てるから余計なことを考える暇などないのだ。布団と一緒に床下に沈むような感覚で眠り込んで目が覚めたら次の日の朝。

期末テストも終わったことだし、あとはもう放っておいても春休みに突入する。そして放っておこうがじたばたしようが休みがあければ三年になる。受験生という言葉はまだ今ひとつ自分のこととしてはピンと来ない。

「灰島、高校はどうするんや？　こっちで受けるんけ？」

部活中から実は訊きたくて、でも逡巡《しゅんじゅん》していたことをようやく切りだした。

「まあ、こっちで受けようと思ってるけど……」

灰島にしては珍しく言葉尻をぼかした言い方が引っかかり、

「けど？　なんか条件でもあるんけ？」

詰め込んだパンで膨れた灰島の横顔に重ねて問うた。眼鏡は今はかけていない。灰島はいつも部活の前にコンタクトレンズを入れ、その次に両手にテーピングをするという手順を踏む。先にテーピングしてしまったらコンタクトを扱えなくなるから。部活が終わるとこの手順を逆に踏むわけだが、億劫《おっくう》なのか家までそのままで帰る日もある。視力は二・〇を下回ったことがなく手指の爪も骨も丈夫であるらしい黒羽からしたらいろいろ難儀な体質だ。

「そんなことより四月になったら一年入ってくるだろ」

「ん？　ああ、ほやな。めぼしい奴は他の部に持ってかれるで期待せんほうがいいけど、一人二人は捕まえれるかなあ」そんなことより？　話を逸《そ》らされたような気がしたが問いを重ねるタイミングを逸してしまった。

「部員増えたら大会にでたい。こっちの大会スケジュールっておれ知らないんだけど、夏の全中《ぜんちゅう》の前に県大会があるはずだよな」

「大会なあー。でれたかっておれらのレベルで勝てるとは思えんけど……」

「試合しないと楽しくないだろ。おれは試合がしたい。夏までに体裁整うくらいにはおまえら全員仕込むから。あとはおれが回す」また仕込むってさらっと言ったぞ。猿回しかなにかの扱いか。

　ああ、でた。あの恐竜好き小学生みたいな目の輝き。傲慢《ごうまん》で自己中なこと言ってるだけのくせにこの目をするとあたかも純粋な目的のなにかにすり替えられてしまうのが釈然としないが、どうにも自分がこの目に逆らえないことを黒羽は自覚してきている。

「わーかったわ。大会でるんって顧問がえんとあかんのやろ？　明日訊きにいこっせ」

　溜め息をついて言ったとき、道の端から粗野な声をかけられた。

「おう、そこ行くんは本家のボンじゃねーんか」

　例の『カラオケボックス紋代』の看板の前だった。ここしか遊ぶ場所がないのだろうか。まあないか。男が三人。１２５ccのバイクが二台と原付が一台。各々シートにまたがったりタンデムグリップに尻を引っかけたりして、上着の襟に寒そうに顎をうずめながら煙草《たばこ》をふかしている。田舎の不良かくあるべしという風情である。

「あ、頼ちゃん」

　と黒羽は笑顔で呼びかけたが、頼道は黒羽の恰好を一瞥《いちべつ》しただけで目を逸らした。

残りの二人は頼道の先輩で、いずれも町内の出身だ。親戚以外の者が「本家のボン」と呼ぶときは多分に揶揄《やゆ》がこめられているのだが慣れっこなのでいちいちそこには反応せず、黒羽は彼らにも気易く会釈した。

「ちわ。ひさしぶりっす。帰ってきてたんか」

「大学も春休みやしな。ボン、今日どんぐらい持ってる？」

「あー……小銭しか持ってえんよ。最近部活で鞄放置してること多いし」

「ぶかつぅ？」

二人揃《そろ》って笑いを含んだ尻あがりの言い方で復唱し、

「なるほどなあ、頼道が言ってたんはこれか」

にやにやして黒羽の頭のてっぺんから足もとまで眺めてきた。黒羽は隣で待っている灰島のほうに居心地悪く視線を逃がした。灰島を見れば鏡に映ったように自分の恰好もわかる、というか黒羽が灰島の真似をしているのだが――ジャージの上に膝丈のベンチコートを着込み、四角いエナメルのスポーツバッグを袈裟懸けにした、実に運動部帰り然とした恰好。ベンチコートは灰島のを見て最近黒羽も買った。

「えらいかっこいいのう。バリボーやったっけ？　ちょおやってみてくれや」

「ほれ、レシーブやったたか、あれどんなんやったっけ。高校の体育ってでてえんかったしなあ。忘れてもてな」

野卑《やひ》な笑いを浮かべて二人が顎をしゃくる。煙草の煙か寒さによる息の白さかわからないものが無精ひげを生やした口もとを霞ませる。

「えーと、こう、かな……？」

仕方なく黒羽がその場で腰を落としてアンダーハンドパスの構えをすると、二人はげらげら笑って拍手喝采《かっさい》した。

「おお、サマになってるやないか。おれ知ってるぞ、あれやろ、『アタックNo．1』やろ」

「ふっるい漫画だすのう。涙がでてまう、女の子やもん、ってやつやったっけか」

「ヒロイン訛《なま》ってるって。ぎゃはははは」

「はは……」

顔が熱くなるのを感じながら黒羽も愛想笑いしたとき、バッグをぐいと引っ張られた。ストラップがみぞおちに食い込んで「ぐえ」と呻きながら振り返り、

「灰島？」

「バカにされてるだけだろ。遊びでやってんじゃないんだ。つきあうな」

あんまり躾《しつ》けられてない犬のリードを引っ張るみたいにストラップを摑《つか》んだまま灰島がつんとして歩きだす。「わかったで引っ張んなや。危……」身をひねって慌ててついていこうとしたとき、

「遊びやろ？　祐仁」

頼道の声が背中にかかった。

灰島が機嫌の悪さを隠そうともしない顔で振り返った。戸惑いながら黒羽も灰島の視線を追う。そっぽを向いて煙草を吸っていた頼道が皮肉げに鼻を鳴らした。

「まさかスポ根チカちゃんにかぶれてマジんなってるんやないやろな？　あとでこっぱずかしい思いするんはおまえやぞ」

「ちょ……いややなあ、頼ちゃんなんか怒ってる？　最近つきあえてえんのは悪かったって。春休みはまた遊んでな」

「黒羽、春休みも練習」

灰島の不満げな声が耳の後ろに突き刺さった。「毎日やるわけやないやろ？」半笑いを浮かべて振り返ると、ところが当然毎日やると言いだしそうな顔だ。「夏の大会でるならそれでもぜんぜん間にあわない」「まじでか……」さすがに春休みは羽を伸ばす気満々だったので、それをまるまる部活に費やす覚悟があるかと言われると……。こいつのバレーバカっぷりを甘く見ていた。

「ユーニ。わかったやろ。おまえには無理やって。遊びでやめといたほうが恥かかんぞ。おれも気ぃは長くないでな、あんまり待ってもやれんしなあ」

「ちょお、頼ちゃんまで意地悪言わんといてや。本気やないやろ？」

引きつり笑いで再び頼道を見る。「おー、モテモテやのうボン。どっちか取ったらどっちかとは縁切りっちゅうことやな。こりゃ修羅場《しゅらば》やな」大学生二人が無責任に囃《はや》して話をこじらせる。

「わ、わかるやろ？　おれも頼ちゃんとおんなじ血が流れてるで、熱しやすくて冷めやすいんやって。テキトーなとこで飽きるわたぶん。な？」

おどけた調子で結局は頼道の機嫌を取るほうを優先してしまった。灰島の燃える視線がうなじを炙《あぶ》って脂汗が流れた。

予防線を張ってるってことはわかっている。頼道に突き放されるのが今はまだ怖い。キツくなったらいつでも戻れるぬるい場所を確保しておきたいのだ。おまえと一緒にするな、と胸中で零す。バレーをやってる自分にかけらも疑問を抱いてない灰島には理解できないだろうが、こっちにしてみれば部活でスポ根してる奴らなんてつい最近までは遠目に眺めてよくやるなあってあきれるだけの対象だったんだから。

頼道が歯を見せてニカッと笑った。

「ははっ、ほういやほやったわ。おまえもおれと同類やもんなあ」

ほっとして黒羽も頰をゆるめた。

と、うなじを焼いていた灰島の視線の熱波がふいに消えた。突き飛ばすようにストラップを放され、

「じゃあ今すぐ辞めろ」

熱さから一変して冷たい声で言い放たれた。

「って、急にそこまで飛躍せんでも……」

「大会めちゃくちゃにされたくない」

「めちゃくちゃって……」

出場停止沙汰《ざた》になるような不祥事のことを言ってるのかとすぐに察した。煙草や酒は、黒羽自身はしていないが頼道がやるのは見過ごしている。バイクの二ケツ自体は違法ではないがメットが一つでは駄目だろう。カラオケ店に入り浸るのも体裁がいいことではない。今まではべつだん気にしていなかったが、学生スポーツがその手の問題に神経質なのはなんとなくわかる。

灰島の心配はもっともだし、ここはこっちが反省するところなのかもしれない。しかし逆に反感が頭をもたげた。最初に心配するのが黒羽がバレーを続けるかどうかとかそういうことじゃなくて、そっちかと。

「本性現したなあ！」

やにわに頼道の高い声があがった。灰島が訝《いぶか》しげに頼道を睨み、黒羽も目を白黒させた。唇をひん剝《む》いてちょっと引くくらい凶悪な笑い顔をした頼道が芝居がかった言い方で続ける。

「銘誠《めいせい》中の悪評高い〝天才セッター〟は自分の欲望を満たすことしか考えてえんのやってな？」

「頼ちゃん？　なんの話やそれ？」

「知りたがってたんはおまえやろ、祐仁。なんでこっちに戻ってきたんかって。ほやで調べてやったんやぞ」

　即座に灰島の鋭い視線がこっちに移った。たしかに疑問は口にしたが、あの話はあそこで終わったと思っていたのでまさか頼道が調べるなんて……。

「おっと、祐仁のせいにするんはお門違いやぞ。身からでた錆《さび》っちゅうやつやろ？」

　頼道がバイクから滑りおりて煙草を踏み消した。ダウンジャケットのポケットに両手を突っ込み、ことさら柄が悪そうにがに股で肩を揺らして近づいてきて、「どいとけ、祐仁」と黒羽を脇に押しやって灰島の前に立った。

「学校の名前はうちのじじい経由でおまえんとこのじいさんから簡単に聞きだせたわ。まあ紘子を使ったんやけどな、おれはじじいに見放されてるで。ほんでちょろっとネットで検索かけたら……でるわでるわ、去年まで銘誠中に君臨してたっちゅう〝天才セッター〟の悪口。ネットっちゅうんは恐ろしいなあ。なんでも転がってるんやもんなあ。まあよっぽどおまえが嫌われてたっちゅうことやろなあ」

　頼道が喋り続けるにつれ灰島の表情が強張《こわば》っていく。灰島のあの、世の中の不遜《ふそん》と不敵を体現したような顔から血の気が失《う》せ、視線が下に落ちていく。俯《うつむ》いて下唇を噛《か》む灰島の頭の上に、縦も横もひとまわりでかい頼道の影が覆いかぶさる。「おいおい、かわいそうやろ頼道ぃ。中坊いじめんなや。泣いてまうぞー」心にもないことを言う大学生二人は完全に傍観の姿勢だ。

「祐仁」

「え？　う、うん」

いまいち話に追いつけないまま黒羽は反射的に返事をした。死にかけの獲物をいたぶるような顔から一変、こちらを振り向いた頼道はもう笑っていない。至極真面目な顔つきだ。

「おれかってなんも直接チカに恨みはないで、ほれはどーでもいいんや。ネットで陰口叩くなんてせっこいとも思うしな。全部おまえのためやぞ。悪いことは言わんで、あんまりのめり込まんとけや。なんたってこいつのせいで自殺未遂者まででてるらしい——」

刹那《せつな》、灰島がなにか言葉にならないことを吠《ほ》えて頼道に摑みかかった。「おっ？」と頼道をわずかによろめかせたものの体格も喧嘩《けんか》の経験値も違う。まさしく片手でボールを、バレーボールじゃなくてドッジボールを摑んでぶん投げるような扱いで、頼道が灰島の顔面を摑んで突き放した。灰島は軽く二、三メートル吹っ飛ばされ、泥混じりの雪道に横っ面から突っ込んだ。

灰島の激昂した声なんて初めて聞いたので黒羽は一時そっちに気をとられてしまってから、慌てて頼道の進路に割って入った。

「よ、頼ちゃんやめろって、暴力はあかんって」

「そいつから突っかかってきたんやろが。あーあ、スポーツ少年は暴力沙汰起こしたらあかんのやろ？　自分で言ったとこやなかったんけ？　コカしただけで済ましてやったんはおれの優しさやぞ」

黒羽の肩越しに頼道が灰島に嘲笑《ちょうしょう》を投げかける。黒羽は身をひるがえし、うずくまって顔を押さえている灰島に駆け寄った。「おい、生きてるけ……」跪《ひざまず》いて肩に触れようとしたが、頼道が言ったことが頭をよぎって手がとまった。

……自殺、未遂者……？

「帰ろっせ。すっかりケツが冷えてもたわ」

大学生二人を促して頼道がバイクのほうに戻っていった。

「祐仁。来いや」

呼びつけられて黒羽はバイクにまたがった頼道の顎を振り仰いだが、ためらって灰島に視線を戻した。髪の隙間から覗く耳たぶがぞっとするほど白い。まさかほんとに死んでないだろうなと思ったが、地面に押しつけた顔の下で、じゃり、と拳《こぶし》が雪を握り込むのが見えた。白いテーピングに泥が染み込んで茶色く汚れていく。

ここに置いては帰れなかった。

「帰るっても二ケツさしてくれんのやろ。こいつ送ってくで、いいわ」

「まあいいけどな」

肩を竦めただけで頼道はあっさり引き下がった。嘲笑はもう影を潜めて素に戻っていた。

「忘れんとけよ。早めに手ぇ引け。その反応からして根も葉もない話ってわけでもないみたいやしなあ。気ぃつけて帰れや。雪道にも隣のチームメイトにも、な」

もしかしたら頼道もちょっとやりすぎたと思ったのかもしれない。気まずそうに顔を背け、例のげろんげろんという品のないエンジン音を轟かせてコマシ号を発進させた。

＊

『座右の銘のメイにマコトで、銘誠。私立銘誠学園中学やって。中高一貫で、運動部がけっこう強い学校らしいわ。関東の子ぉらには有名私立の分布図って一般常識なんやってねぇ。こっちではぜんぜん実感わかんよね。選べるくらい学校ないし。ほや、終業式のあとみんなで市まで遊びに行くんやけど、一緒に行かんか？　灰島も誘ったら来るかなあ。あんたら最近仲いいやろ』

「えーと、あー、うん、ほんだけ聞ければとりあえずいいわ。ありがとな」

放っておいたら話がいっこうに途切れなそうなのでこっちから電話を切った。

紘子が「みんなで」と言うからには女子込みのグループだろう。実に春休みっぽい浮かれたイベントで羨《うらや》ましい限りだ。普段だったら断るべくもない。しかし今日ばかりはまったく乗り気になれなかった。賭けてもいいが灰島も絶対来ない。

電話の子機を机の脇に置き、あらためてパソコンに向かう。携帯電話を持たせてもらうのは高校からという約束なので、家でネットに触れられるのは父の書斎のノートパソコンだけだ。めいせいちゅう、を変換しようとした時点で漢字を知らないことに気づき、紘子経由で聞きだしたと頼道が言っていたから電話して直接訊いたのだった。今の感触からして頼道は本当に学校名を聞きだしただけで、それ以上のことは紘子には話していないようだ。それについてはほっとした。

運動部の強豪校。なるほどそんな有名な学校ならゴシップの一つや二つネットに転がっていても不思議はないのかもしれない。なんたって『【紋代町】黒羽のじいさん【妖怪】』とかいう掲示板があるくらいらしい——頼道が面白がって教えてくれたのだが内容を知るのが怖いので黒羽は検索したことがない。

〝東京　銘誠学園中　男子バレーボール部　自殺未遂〟

検索ワードを入力し、実行キーを押そうとしたところで指がとまった。なかなかキーを押し込むことができない。もちろん気になってしょうがない。でも、じいちゃんの掲示板とやら以上に中身を知るのが怖い。

「祐仁ー？　どこにいるのあんた」

母の声が襖《ふすま》を隔ててどこからか聞こえた。座椅子の上で身をひねって声を張りあげる。

「こっちやー。書斎ー」

「なんでそんなとこにいるの。お風呂入んねのー」

「わかってるー」

すこし考えたあと、結局かたかたと削除キーを押して入力した文字を全部消した。そうしてしまうとすっきりと諦《あきら》めがつき、パソコンを閉じて立ちあがった。

5. INTERMISSION

終業式に灰島は来なかったが、その不在はクラスで特に話題にもならなかった。つつがなく式も終わり、教室は春休みムードで浮かれたざわめきに満ちている。今日は持ってこなければよかったな、とかさばるエナメルバッグを邪魔くさく感じながら帰ろうとしたとき、

「おーい祐仁。ん？　灰島はえんのか」

教室の戸口に顔を見せたのは男子バレー部顧問の教師だった。バレー経験はまったくないそうで今までは幽霊顧問だったのだが、不運にもというべきか灰島が転校してきたせいで最近仕事が増えている。

「今日は休みやけど、灰島」

「ほんならおまえでいいわ。これ」

「灰島の次善《じぜん》みたいに扱わんといてや。なんやこれ……あ」

渡されたプリントに目を落とすと、春休み中の体育館使用日の割り振り表だった。

「春休みにこんなに練習する部他になかったで、希望日あっさり全部通ってもたぞ。どうしてくれるんや」

「うげ……」

休み中ほぼ毎日、午前・昼・午後の三コマのうち必ずどれか一コマ（日によっては二コマ連続！）に「男バレ」の記載がある。灰島にしてみれば集中練習の好機なのだろうが……せっかく宿題も少ないんだからもっとなにかこう……他にやりたいことがないのかあいつは。名門の運動部というのは長期休みには当たり前にこんな練習スケジュールを組んでいるのだろうか。なるほど自分たちみたいな小さな公立の運動部とは越えられない実力差があるわけだ。

うんざりしつつも「灰島に渡しとくわ」とプリントを鞄に突っ込んだ。

「頼むな。しかしまったく、おれの身にもなってくれんかねぇ。一応顧問も毎日つきあわなあかんのやぞ。せっかくの休みが……」

顧問の意識がこれではますますである。

＊

たしかにこの家だと、目の前にすると思いだす。モノクロの雪景色に閉ざされていた記憶の四隅に暖かな灯籠が灯り、鮮やかな色が戻り、音が聞こえ、映像が動きだす。

たいていのとき、黒羽は〝チカ〟が遊びに来るのをただ待つ立場だった。チカの祖父が黒羽の祖父と将棋を指しに来る日にだけついでにチカを連れてきてくれる。チカが帰るときには「明日もぜったい遊ぼっせ」と毎回約束して別れるものの、次にいつ遊べるかはあくまで祖父二人の心次第で、幼い二人には決定権がないのである。

ただ黒羽からチカの家に行ったことも一度あった。今日は一緒に遊べるはずだったチカが熱をだして来られなくなったと聞き、お見舞いに行くと駄々をこねたのだ。見舞いを口実にしつつもちろんまあ遊びたかっただけなのだが。

白い顔を火照《ほて》らせて寝込んでいたチカを無理に起こしてトランプにつきあわせた。ほっぺたがだんだんぷっくり腫《は》れてきたのでおもろい顔やなーとけらけら笑ったらつむじを曲げられたんだっけ。おたふく風邪だった——というのをチカの祖父母もその時点では気づいておらず、その日の夜に黒羽家に慌てた電話がかかってきて、チカからしっかりおたふく風邪をもらっていた黒羽は後日発症することになる。

芋づる式に記憶が蘇《よみがえ》ってきて、懐かしさと気恥ずかしさとがないまぜになったものがむずむずと身体に満ちる。

「大江《おおえ》……」

灰島姓ではない表札を見て一瞬戸惑ったが、母方の実家なのだから当然だ。門の前をいったん離れ、垣根に沿ってぶらぶらと歩く。昔はこの垣根ももっと高くそびえていた気がするが、今はちょっと踵を浮かせば簡単に庭が覗ける。三月半ばの昼下がり、一日のうちで一番気温があがるこの時間帯でも10℃に届くかどうかといったところだが、縁側の雨戸は開け放されていた。

縁側に灰島が転がっていた。

「……？」

なにやってんじゃあいつはと眉をひそめて目を凝らす。ひょろ長い背中をこちら側に向け、枕《まくら》も座布団も使わずまさしく転がっているという感じだ。トレーナーにスウェットパンツ、この寒空の下で裸足《はだし》。はなから今日は学校に来る気がなかったのだなと窺える恰好でちょっとあきれる。

「灰島あ」

垣根越しに呼びかけたが反応がない。

「おーいってば」

無視されてるのかと思ったが、髪の隙間にヘッドフォンが埋まっているのが見えた。

「はいはーい、どちらさん……あれぇ、本家の坊ちゃんやないんですか」

小柄なばあさんがかわりに応えて奥の和室から姿を見せた。転校初日にも付き添ってきたばあさんだ。「こ、こんちわ」と黒羽ははにかみ笑いを作った。

「ほんなとこからおいでにならんと表にまわってください。公誓、ほれ、不貞寝《ふてね》してえんと起きんか。ほんとにまあ縦にばっかり長くなって邪魔くさい。そろそろ縁側の尺が足りんくなってまうわ」

「なんだよ……」

雑な扱いでヘッドフォンを引っ張られ、灰島が迷惑そうに唸って起きあがった。

「灰島」

あらためて呼びかけると、その背がびくりと固まった。ヘッドフォンを首までおろし、眼鏡をかけてこちらを振り返る。右目の斜め上と右のこめかみの二ヶ所に絆創膏《ばんそうこう》が貼られていた。頼道に張り倒されたときに雪で切ったのだ。

「……すぐ行く」

気乗りしない顔をしたが、そう言ってのそっと立ちあがった。

「なに言ってんのあんたはもう、寒いであがってもらいなさいって」

「うるっさいわ、もお……」

ばあさんの言葉遣いが伝染《うつ》ったのか、鬱陶《うっとう》しげに毒づいたときちょっとだけ訛りが混じっていて、黒羽の中でこの家と同じ画に収まって記憶されている〝チカ〟と一瞬繋がった。


表にまわって門前で待っていると、さっきの恰好のまま素足にスニーカーを突っかけただけで灰島がでてきた。預かってきた練習日のプリントを渡すと目を落として「ああ……」と薄いリアクションをしただけで、沈黙。ことバレーに関してやる気が起きないなどということがあるはずがない奴なのに、今日はひどく生気に乏しく見える。頼道に摑みかかったあの瞬間に、身体の中のなにか大きな回路が焼き切れてしまったかのようだな。

気まずい空気を咳払《せきばら》いで振り払って切りだした。

「あ、あのな、頼ちゃんとはしばらく遊ばんようにするし、おまえが心配してるようなことにはならんように気ぃつけるし……えーとな、おれ、バレーおもろなってきた気ぃするし、もうちょっとやってみたいんや。ほやで今すぐ辞めろとか、言わんといてくれ……」

灰島がプリントから目をあげた。絆創膏のせいで右目があけにくそうで普段に増して目つきが悪い。見失った言葉を探すかのように、眼球がふわっと左右に泳ぐ。迷い？珍しい。

「……あの、こと」

尖らせた唇の先からぼそっとした声が漏れた。

「なにか、あれから……」

口籠《くちご》もるなどという単語が頭にインプットされてないはずの灰島がなにかすごく言うのをためらっている。あれから……？　頼道の話の先を黒羽が知ったかどうかを気にしてるのか？　あの灰島が人の反応を気にする？　うーむ今日こいつ相当おかしい。

わざと強めに溜め息をついた。こんなふうにへこんだ灰島は見ていたくない。いやいつもの灰島はそれはそれで迷惑なんだが。

「言っとくけど、頼ちゃんからはなんも聞いてえんし、調べたりもしてえんぞ」

半分は嘘《うそ》だった。調べようとは、した。だがこんな灰島を前にして正直には言えない。灰島と違って自分は目の前の人間を傷つけないために嘘だって言える。

灰島の表情はそれでも冴えない。そんなに信用できないのか、おれが言うことが。

「あのなあ、おれはあの頼ちゃんとつきあってるんやぞ？　じいちゃんからも親戚一同からも大うつけって烙印《らくいん》押されて見放されてるけど、頼ちゃんにもいいとこあるんをおれは知ってる。誰になんて言われたかって、おれは頼ちゃんが好きやでつきあってる。ほやで、つまりやなあ、顔も名前も知らん東京の連中がおまえのことなんて言ってたかって、おれにはなんも関係ないんじゃ。なんで目の前におまえがいるのに遠くにいる奴の言うことあてにせなあかんのじゃ」

東京でなにがあったのか、本当は知りたくてしょうがないのに実行キーを押す勇気がなかっただけだ。今思えば勇気がなかったから途中でやめたんじゃなくて、勇気がなかったから調べようとしてしまったんだろう。

「ほやでおまえの評価は、おれが自分で決める。今んとこは保留にしとくわ」

なんかクサいこと言ってるなと耳が熱くなってきた。気恥ずかしさのあまり足がこの場から逃げたがっていて、言いながら踵で跳ねている。腰の後ろでエナメルバッグが揺れる。ちゃんと通じてるか？　日本語の理解力にかなり不安がある奴だから。どんな顔してるのか気になる。でも直視できない。

まあいいや、明日会えたら、通じてたってことだろう。春休み中みっちり部活はあるのだ。

「ほんなら、明日、学校で」

6. ENTRY SHEET

日直の仕事に手間取っていつもの時間より遅れて教室を飛びだした。戸口を直角に折れた途端、隣の教室からでてきた紘子とでくわした。鎖骨のあたりに顔面からぶつかってきて「ぷっ」とはじかれた紘子の手首を危うく捕まえた。

「いったあ……。祐仁？　危ないやろもう」

「知らんわ。そっちがよそ見してるでじゃ」

癖で憎まれ口を返しつつ、手首が思ったより細かったので内心うろたえてすぐ放した。

「ん？　今から部活か？」

黒羽の荷物に目をやって紘子が「ふーん？」などと尻あがりに鼻を鳴らす。肩に担いだエナメルバッグにも最近だいぶ使い込んだ感がでてきた。今月から夏服になり、ワイシャツの前を大きめにあけてTシャツを見せている。

「スポーツ少年、頑張ってるねえ」

「か、からかうなや」

「なんでー？　からかってえんって。褒めてるんやないの」

「ほーゆう言い方が上からやっちゅうんじゃ」

「上からなんて見ようとしたかって見えんよー」

手をかざして頭の高さを比べる仕草。背中がむず痒《がゆ》くてのけぞると、紘子がつま先立ちで身を乗りだして顎の下から見あげてくる。

「な、なんや。近づくなや気色悪い」

「また背ぇ伸びたんと違う？」

「え？　ほ、ほうけ？」

言われてみれば紘子の顔がぶつかってきた位置がずいぶん低かったような。シャンプーの匂いがしたのを思いだしてまたむず痒さが背中を駆け抜けた。

＊

「一七九てん……ちょうど」

「ほんとや！　伸びてた！」

例の用具室の戸口の目盛りでひさしぶりに身長を測りあった。灰島が掲げた粉末ドリンクの箱の下をするりと抜けて自分で目盛りを確認し、

「む。九・二じゃねえんか。切り捨てんなや」

訂正を入れたら灰島は舌打ちを隠しもしなかった。灰島は一七六・九。黒羽を羨まずとも一緒に伸びているのだが、二・三センチ差が一ミリも縮まらないのが気に食わないらしい。まあ今は気分がいいので灰島の暴挙にも寛容になれるというもの。

「ふっふ……ふふふふ……確実に一八〇いくなあこりゃ」

「おまえ膝とか痛くねえの？」

「そんなには気にならんなあ。ちょお違和感あるくらいかな」

膝を曲げ伸ばししつつ首をかしげて答えると「健康優良児すぎだろ」と灰島が恨めしげな半眼をする。

「痛いんけ？　膝」

「痛い。日によっては寝れないくらい」

「ほー。へー。ほーゆうもんか」

「チッ……そのゆるい顔イラつく」

現在の男子バレー部の活動人数は八人。春休みの集中練習で脱落者もでたが、新学期になって一年が奇跡的に三人も入ってくれた。七人いれば試合はできるが、控えを一人置ける人数になったことは大きい（六人制バレーボールというからにはコートに同時に立つのは六人だが、リベロというレシーブ専門のプレーヤーを別に登録でき、コート内のプレーヤーと入れ替わりながらローテーションしていくのである）。

部員の中では黒羽が一番背が高く、ポジションはレフトまたはライト。簡単に言うと一番たくさんスパイクを打つ役だ。次が灰島、ポジションは不動のセッター。トスをあげる役である。その次が二人と同じ三年の長門《ながと》で一七五センチ。ポジションはセンター。ネット前でブロックの中心となったり、囮《おとり》を務めたりする役だ。この三人以外は世間一般の男子中学生の平均並みだし、一八〇を超えるような飛び抜けて高い者もいない。戦力不足は否めないが、体格がいい者は他のもっと人気のある部に流れてしまうのだ。

「ミーティングするぞー」

用具室前でわいわいやっていると顧問から集合の声がかかった。部活の同伴で休みを潰されるのをぼやいていた幽霊顧問だったが、真面目につきあっているうちに乗り気になってきたらしい。最近は見ているだけじゃなくて練習に協力するようになったし、指導者の教本を読んで勉強もしているようである。

灰島の直情っぷりが、バレーに対する一途《いちず》さが、気づいたら自分以外のみんなにも感染している。得体の知れない、でも不快ではないなにかが細胞に染み込んで、いつの間にか身体をつくりかえていく——。

春休み前の頼道との一件があったのはもう三ヶ月前になるが、灰島の右のこめかみにはまだうっすらとした傷痕《きずあと》が残っている。あの一件を境に灰島の性格になにか変化があったかというと、まったくさっぱりそんなことはなく相変わらずの我が道を行くバレーバカである。

けれどそのおかげで……上手くなった、と身体で感じている。先週より今週、昨日より今日が、一段階上のことができるようになっている。特に黒羽はコートのど真ん中から打つバックアタックが好きだった。そこから打つのが一番高く跳べて、一番思いっきりぶっ叩けて、一番見晴らしがいい。

「これが県中《けんちゅう》のエントリーシートな。今年は七月二十六日、二十七日の二日間」

体育館の片隅で顧問を中心に車座になった。灰島を除いたみんなが「ほー。これが」と物珍しげにエントリーシートを覗き込む。市の中学との練習試合は何度か経験したがいよいよ夏の県大会、初めての公式戦だ。

「夏休み入ってすぐやなあ」

「負けたら遊べるっちゅうことやけ、」顧問が口を滑らせ、灰島に睨まれて咳払いをした。黒羽も実は口を滑らせかけたのだが言わなくてよかった。「……ごほん。まあもちろん出場するからには目標は勝ち進むことや。去年の日程を聞いたんやけど、一日目が一回戦と二回戦、二日目が準決勝と三位決定戦と決勝。上位三校が北信越大会に進出」

「それだけ？」

驚いた声をあげたのは灰島だ。

「支部予選なしで、いきなり県決勝？」

「うむ、灰島が言ってるんは県の下のブロック予選のことやな。実はなあ、これが幸運なことにうちのブロックは予選なしなんやと。女子は予選あるんやけど、男子はここ数年参加校が枠を割れてるそうでな。灰島がいたようなとこは学校数の桁《けた》が違うで、ブロック予選でいくつも勝たんと県大会にでれんのやろな？」

「都だけど、そう」

灰島が頷き、黒羽以下の部員は目をぱちくりさせる。エントリーシートを凝視する灰島の顔に赤みが差し、目が炯々《けいけい》としてきた。うわ、あの顔だ、恐竜好き少年……またなにか面倒なことを言いだすんじゃないかと不吉な予感に黒羽は頭を抱えたい気分になる。

灰島がエントリーシートから目をあげ、一つずつなにかを確認するようにチームメイトの顔を順に見る。最後に黒羽の顔の上で視線をとめた。興奮を抑え込んだような、掠《かす》れていながらどこかはずんだ声で、

「四つ勝てば優勝。最低でも三つ勝てば県大会突破」

えっ、と声を漏らして黒羽は息を呑《の》んだ。

「案外……」

近い、と口にしようとした自分の身の程知らずに一人恥じ入った。灰島はともかくとして残りは全員公式戦未経験という素人チームである。一勝できれば御の字、万が一にも二勝できたら快挙。それくらい謙虚に考えておくところだろう。

だがしかし灰島公誓という男の辞書には謙虚のケの字も載っていないのである。身の程知らずの発言を恥じるなんていう神経も、予防線を張って下のほうに見積もっておくなんていう思想も持ちあわせていない。

「行ける」

すこしの迷いも疑いもなく、自信を持って口にした。

「優勝するぞ」

なんでこいつはそんな言葉をまるで自分のために存在するものみたいに堂々と舌に乗せられるのだろうと、いつものことながら不思議でしょうがない。優勝って？　県で一番すごいってことか？　自分には永遠に縁がないと思っていた言葉だ。というか縁遠すぎて頭によぎったことすらなかった。何故なら一番を目指すようななにかに打ち込んだことがなかったから。今でこそバレーに熱中しているが、それも勝ちたいというより段階ではただ上手くなっていく感覚が楽しいからやっているというほうが大きい。

でも、たった四勝。あるいは三勝。

いっそ何十勝もしなきゃいけないとかの果てしなく遠いところにあってくれたほうが開きなおれるのに……うまくすれば手が届くかもしれない場所にあったという事実がまだ受け入れられず、今はただ当惑するだけだった。

7. (COOL BUT WORST) PLAYMAKER

あがったトスに灰島のドヤ顔が描《か》いてあるのが見えるようだった。敵のブロックはネット前の囮に引っかかって跳んだあと。囮の真後ろから黒羽がバックアタックで飛び込む。敵ブロッカーからしたら囮の頭の上から新たな影が突然にょきっと現れる形だ。パイプ攻撃と呼ばれるこちらのもっとも得意なコンビネーションであり、敵にもとっくに分析されているはずなのだが、それでも毎回「なんでそこから現れる⁉」とでもいうような驚愕《きょうがく》の顔をされるのが最高に気持ちいい。今コート上でおれが一番かっこいいっていう瞬間。

灰島があげるトスは、去年の先輩のセッターがあげてくれたトスとはぜんぜん違っていた。黒羽には未だ理論では説明できないが、先輩のトスは大きな山なりで〝上にあがって下に落ちてくる〟ものだったのに、灰島のトスは〝落ちてこない〟のだ。一番速く踏み込んで一番高く跳んで一番高いところで腕を振らないと届かないようなところにボールが〝まっすぐ〟ぶち込まれてくる。打ち切れなかったらそのままびゅーんとあっちに飛んでいってしまう。練習ではタイミングがあわずに空振って口論になることもしょっちゅうだ。次こそ打ち切ってやろうと毎日がむしゃらになっているうちに——今日になって不思議な現象が起きていた。

思い切り跳んで、思い切りスウィングさえすれば、そこにボールがいる。それこそ一ミリのブレもないほどに、吸いつくような綺麗なトスが手に収まる。あとはパワーを乗せて気持ちよく打ち切るだけだ。一歩も動けない敵の守備陣の間隙《かんげき》を切り裂き、ボールがコートに突き刺さるところまで目でしっかり捉えてから着地。膝を沈めたままで「うし！」とガッツポーズ。

「祐仁ー！」

「かっこよすぎやろー！」

集まってきたチームメイトたちに髪を搔き乱されながら灰島の姿を探した。いつもそういう輪の外にいる灰島とちらりと目があった。灰島が薄く笑って頷いた。

ローテーションが一つ動き、後衛からバックアタックを決めたばかりの黒羽は前衛へあがる。かわりに前衛からサーブに下がる灰島とすれ違い際、低いところでタッチを交わした。

七月二十六日。鈴無市営体育館にてA、Bコートの二面で行われている県中学校夏季総合競技大会、バレーボール男子一回戦。Aコート第一試合は紋代中がすでに第一セットを先取。第二セットはサーブレシーブの乱れで中盤こそ一時迫られたが、それでも逆転は許さず再び突き放してセット終盤を迎えている。三セットマッチだからこのセットを取ればストレート勝ちが決まる。

灰島がサービスゾーンのかなり後方、壁に近いところまで下がってサーブの構えに入る。左手にボールを載せ、まっすぐ前に腕を伸ばす。細い瞳をさらに鋭く細めてネットの先を睨み据える。声援にわいていた応援席が一時しんと静まる。灰島が纏《まと》う、冴え冴えとした凄《すご》みのようなものに人々が息を詰める。

一秒で軽く呼吸を整えただけで、さしたる躊躇《ちゅうちょ》もなくトスを高く放り、お手本みたいな美しいフォームから強烈なジャンプサーブが放たれた。どよめきに近い歓声でふたたび会場がわく。

だがすこしだけ長い。アウト——と黒羽の目には見えたが、レシーバーが避《よ》ける暇がなかった。レシーバーがひっくり返るくらいの凄《すさ》まじい球威《きゅうい》で天井近くまでボールが跳ねあがった。

あっ——。

頭で考える前に身体が自然に動き、跳んでいた。ダイレクトで返ってきたボールをネット上で捕らえ、相手コートに叩き落とした。

一回戦は十六校が参加しているので、様々なカラーのジャージ姿の選手や教員、運営スタッフで体育館の裏の通路は混雑していた。

「なんか夢中んなってるうちに……」

「勝ってもた！」

「八人しかえんチームで！」

「祐仁、あのダイレクトのやつ、よく反応したなあ」

「まあなー。なんか今日、ボールがよく見える気ぃする。あと敵の顔見たらなにしようとしてるかなんとなくピンと来るっていうか」

「なんやそれ、かっこいいこと言ってもて。惚《ほ》れてまうわー」

「クラスの女子にもっと声かけとけばよかったなあ。聞こえるのおふくろたちの声ばっかや」

「あーっ、おふくろの声を女子の声に脳内変換してたのに現実に引き戻すなや！」

早めに試合が片づいて全員まだ元気があまっており、はしゃいだ喋り声が絶えない。同じ時間にはじまったBコートの試合は第三セットにもつれ込んでいるらしく、くぐもった歓声やボールが跳ねる音が響いてくる。どうもバカ話がいつまでも終わらないと思ったら空気をぶった切る役の灰島がいないせいだった。コートから引きあげてきたときには一緒にいたはずだが……。

運営本部に寄ってくると言っていた顧問がそのときちょうど戻ってきた。

「先生、灰島知らんか」

「中に戻ったぞ。Aコートの第二試合がもうすぐはじまるでな。二回戦であたるとこが決まる試合やで、見てくるって」

「えっ……一人で行かんでも」

次の対戦相手なら灰島だけでなくみんなで偵察しておくべきではないのか。声くらいかけていけばいいのにとうっすらと不満が芽生える。

「灰島も気ぃ遣っておまえらを休ませようと思ったんでないんか？　今は元気やったかってあんまりはしゃいでたら二回戦の前に疲れてまうぞ」

灰島が気を遣う？　天地がひっくり返っても起こらなそうな現象だ。まさしく現象。数億年に一度とかの天変地異の類いである。

だがたしかに一日に二試合というのは自分たちにとっては未知の領域だ。今日はみんな調子がよさそうに見えるものの、二試合目に入ってどれくらい疲れがでるかは予想がつかない。

「しっかしまあ、灰島が経験者なんはわかってたけど、あそこまでとは思わんかったわ。今本部寄ってきただけでも、あの選手は何者やって他校の先生方にめっちゃ声かけられてなあ」

「なあ、おれは？　おれのことは訊かれんかったんか？」

「うーん？　訊かれてえんなあ」

「ちぇー。おれの活躍が灰島で霞んでもてるわ」

口を尖らせてぶうたれると「おまえはこれからやって」となだめられた。「二回戦もこの調子でな。変に気負わんとまずはみんなで楽しもっせ」

調子もいいしけっこう目立ってると思っていたのだが、自分程度じゃ印象に残らないほど灰島の上手さが際立っているということか。うちの顧問よりよほど目が肥えているであろう他校のバレー部顧問にも注目されるなんて。

〝優勝するぞ〟——灰島は超がつく自信家だが、同時に現実主義だ。自分に対しても他人に対しても甘い評価はしないし、「優勝できればいいね」くらいのほんわりした努力目標を口にするような奴ではない。本気で可能だという目算があったからあの場であぁ言ったのだ。

灰島がいれば本当に夢ではないのかもしれないという気が今ならする。

四勝すれば優勝。そのうちの一勝はすでにクリアしている。あと三勝。

手が……届く……？

勝ちたい、と思った。次も勝ちたい。その次も勝ちたい。そしてその次勝ったら——。

六月に聞いたときは当惑のほうが大きかったものが、今初めて明確に勝利を欲した。心臓が早鐘《はやがね》を打ちはじめた。

＊

二回戦の公式練習の時間が近づいて会場に入った途端、怒号にも似た歓声がわき起こり、チーム全員がつい同じ方向にのけぞった。

一回戦のときにはなかった『紋代中学校男子排球部』というやたらに達筆な横断幕が二階観戦席から垂らされており、さらにその隣には正方形の旗もあって——『はばたけ！　黒羽UNIVERSE！』

どかんと顔が熱を帯びた。

「うっわ。祐仁の応援団すげ」

「甲子園みたいな騒ぎやなあ」

チームメイトも羨ましがっているというよりドン引きしている。一回戦でも保護者たちが小さな応援団を形成していたが、鳴り物もなにもなくその場その場で我が子に声援を送るだけのささやかなものだった。新たに現れた大応援団がそれをすっかり呑み込み、メガホンをばかばか打ち鳴らし、親戚のおんちゃんたちに至っては品がいいとは言いがたいがなり声を張りあげている。

「……じいちゃんの字だ」

真っ白な布の上に墨一色、暴れ狂う龍がごとき豪快な字でしたためられた『紋代中学校男子排球部』。思えば今朝でてくるとき母親がやけに慌ただしくあちこちに電話をかけていた。あんなものを組織するのに時間を食って一回戦に遅れるくらいなら家族だけで慎《つつ》ましく来てくれればいいものを。

もう一枚の『はばたけ！　黒羽ＵＮＩＶＥＲＳＥ！』のほうは黒地に金色のモールでもってキラキラに飾られており、祖父の筆一本によるものよりだいぶミーハーだ。むしろ嫌がらせなんじゃないかと思うようなその死ぬほど恥ずかしい旗が垂らされているちょうど真上の席で、紘子が巨大なメガホンを叩いているのが見えた。……あんなもん用意してる暇があったら一回戦から来ればいいのに。一回戦のめちゃくちゃ気持ちよかったバックアタックとかを見ておけっての。

頼道は……来ていないようだ。見渡した限りでは見つけられない。今日試合があることは紘子経由で聞いているとは思うのだが。

「あっ、灰島、おまえのばあちゃんも来てるぞ。うちのおふくろが誘ったんかな」

灰島のユニフォームを引っ張って耳打ちすると、「えっ……」と灰島があまり嬉しそうじゃない顔をして客席を振り仰ぎ、眉間《みけん》に皺《しわ》を寄せて目を凝らした。

「見えない」

「あそこ。〝部〟の上んとこ」

「コンタクトしててもおまえほど目ぇよくないんだって。別にいいし」

あっさり諦めてコートに目を戻してしまった。

「集中しろ、黒羽」

と低い声音で。灰島の意識が狭く、細く凝縮されていくのがわかる。自分が必要とする世界はこの九×十八メートルのコートの内側にしか存在しないと言わんがごとく、外部の視線も声援も遮断して意識を高めていく。そばにいるだけで皮膚がぴりぴりするくらいの集中力が伝わってくる。

「お、おう。わかってる」

努めて威勢《いせい》よく黒羽は応じたが、客席から目を離しても親戚たちの顔、顔、顔に三六〇度から取り囲まれているような感覚をどうしても拭うことができなかった。

灰島が後衛ライトでサーバー、黒羽がその「対角」にあたる前衛レフトというローテーションからスタートする。サーブが強い灰島になるべく多くサーブ順がまわり、かつタッパのある黒羽と灰島のどちらかが必ず前衛にいるようにローテーションを組んでいるのだ。六人いるから対角線上で結ばれる選手が三組でき、この相手どうしを対角と呼ぶ。ローテーションがまわっても対角の関係は常に維持されるわけである。しかしぼやっとしていると自分の今の位置がわからなくなることがあってけっこう混乱する。

後衛のプレーヤーはブロックに跳んでは駄目で、スパイクもアタックライン（ネットから三メートルのところにあるライン）より後ろから跳ぶバックアタックしかできないルールだ。

先手必勝とばかり灰島は初《しょ》っ端《ぱな》から渾身《こんしん》のジャンプサーブをぶち込んだ。ジャンプサーブは力いっぱい打ち込むがゆえにミスのリスクも高い。練習試合では灰島もリスクの低いジャンプフローターサーブを使っていたのだが、公式戦の今日になってなにを思ってか積極的にジャンプサーブを使っている。

惜しくもエンドラインを割ってアウト、最初の一点をくれてやることになったが、相手コートの空気が一瞬凍りついた。

「ドンマイ」

味方から声がかかったが、そもそも灰島はミスを気にしていないようで悪びれずに片手で軽く応えただけで、挨拶《あいさつ》がわりだとでもいうような不貞不貞《ふてぶて》しい面構えでネットの向こうを見据えている。あれを入れてきたらどうなるんだ、という恐怖心の種を、点にはならなかったにもかかわらず敵に植えつけることに成功した——経験値が一桁も二桁も違う。そしてなにより灰島の恐ろしさはこの肝の据わりっぷりだ。

文字どおりの意味で灰島が試合を作っていく。セッターとして味方の攻撃を組み立てるだけでなく、敵のコートの空気をも支配する。経験値の差が一朝一夕で埋まるわけがないのはもちろんわかっているが、なんだか妙に気が焦る。

自分の最初のサーブ順がまわってくるまでやけに時間がかかった気がした。ローテーションが動くのを待ちかねてサービスゾーンに下がり、ボールを受け取ろうとしたとき、

「……ば！　黒羽！」

灰島の声が耳に飛び込んできて、身体がびくっとした。頭のまわりに膜がかかったみたいにぼうっとしていて声が聞こえていなかった。見ると灰島が珍しく焦った顔をして前衛ライトの場所を指さしている。

血の気が引いた。ローテが違う。もう一回前衛だ。本来のサーブ順の長門が中途半端な場所に突っ立ってまごまごしている。

「す、すまん」

「いや、おれも悪かったし。祐仁が下がったでおれが間違ってるんかと思って……」

長門と声をかけあって急いで守備位置に戻った。灰島がなにか話しに来ようとしたが長門のサーブを促すホイッスルが鳴ってしまった。応援団には急にサーバーが交代した理由がわからないのだろう、客席がざわついている。

なにか変だ……客席の声はよく聞こえるのにコート内の声が遠い。自分は今コートじゃなくて客席に立ってるんじゃないかと錯覚しそうになる。

さっきと逆にローテが動くのが早く感じた。時間の感覚が安定しない。間違えたサーブ順が今度こそまわってきて、サービスゾーンに走ってボールをもらう。ネットに向か

って立ち、落ち着こうと深呼吸したが、息が深く入ってこない。

灰島の一本目のジャンプサーブがふと頭の中で再生された。ジャンプサーブは黒羽も練習している。だんだんミートできるようになってきて、練習では爽快《そうかい》なのが決まることもある。あんなのを試合で決められるようになればさぞ気持ちいいだろう。応援団にいいところも見せられるだろうけど、もちろんまだ使い物になる精度ではないからいつもどおりジャンプフローターを確実に入れて……あれ？ いつもどっちの足から踏みだしてた？ どのタイミングでトスをだしてた？ いつもどおりってなんだ？ いつものやり方が頭からすぽっと抜けてしまっている。

ピ――。

ホイッスルが鳴った。

なんの合図かすぐにはわからなかった。様子がおかしい。味方コートが慌てだす。主審が相手チームの得点を示したあと、両手の指を立てて「8」のサインをだした。

八秒違反――⁉

素人目には理由のわかりにくい失点に客席がまたざわめいた。笛が鳴ってから八秒以内にサーブを打たなければ相手の得点になる。最初の笛が聞こえていなかったわけではない。なのになんでこんな初歩的なミスをしたのか、自分自身まったくわけがわからない。

灰島がベンチに向かって手振りで指示し、それを受けて顧問が慌ててタイムアウトを要求した。

「おまえ、緊張してるだろ」

灰島に拳で心臓の上を小突かれた。怒っているわけではなさそうだが、ただ確実にうんざりされている。プレーそのものとは関係ないところで起きた、立て続けのケアレスミス。

「もしかしてあがり症か」

「う……。あがる場面に立ったことがあんまりないで、ようわからん」

あがってるのだろうか？　余計なことが気になりすぎているという自覚はある。一回戦のときはあんなにコート内がよく見えて、自分の仕事に集中できていた。考えなくてもやるべきことがわかって身体が動いた。灰島が編みあげる試合という有機物の一部に組み込まれて生かされてるみたいで、それはぜんぜん不快ではなくて、むしろ陶然たる心地だった。なのに二回戦に入ってからその感覚がぷつりと途切れ、視界が急に狭くなって、心の声ばかりが増えている。

ふう、と灰島に溜め息をつかれた。

「〝人〟でも書いて呑んどけ」

「も、もうちょいマシなアドバイスはないんけ」

「おれは緊張したことないから。プレーのことならいくらでも言えるけど」

また格差を見せつけられた気がした。「しゃあないわ祐仁。おれかってあんなに親戚来てたら緊張するし。ミスは気にせんでいこうや」他のみんなに励まされても灰島一人につかれた溜め息が重くのしかかった。

三十秒のタイムアウトはあっという間に過ぎる。結局気持ちを立てなおすには至らないままばたばたとコートに戻ることになった。

とにかくここから挽回《ばんかい》するしかない。ちょうど後衛に下がったところなので灰島からさっそくパイプ攻撃のサインがでた。一回戦の得点源にもなった、センターのAクイックを囮に使った真ん中からの速いバックアタック。センターの頭の上から飛び込んだときの、囮につられて跳んでしまった敵ブロッカーの驚愕した顔が気持ちよくて——。

「!?」

今度はブロックが残っていた。敵ブロッカーの決死の形相がそそり立つ壁のようにネットの向こうから現れてコースを塞いだ。なんで——!? バカ正直にブロックの正面にぶちあてることになり、自陣にボールを叩き落とされた。勢いあまって尻もちをつきながら「あれ?」などという声が口をついてでた。

雄叫《おたけ》びにわく相手コートをネットの下から一時放心して眺めていると、目の前にチームメイトの手が差しのべられた。手を借りて立ちあがったら灰島だったので反射的に手を引っ込めてしまった。

「すまん」

つい謝る。なにを？　とめられたことを？　手を引っ込めたことを？

「いい。今のは仕方ない。まともに打てるのがおまえしかいないって、あっちにももう読まれてる。徹底マークしてくるはずだ」

灰島は前者の謝罪と受け取ったようだった。タッチを交わしてよろこびあっている相手コートの様子から目を離さず早口で言う。まともな打ち手が黒羽しかいなくて、それをマークされてるってことは……どうするんだ？

灰島がじろりとこっちに横目をよこした。なんかまたうんざりされてる。

「顔にだすなって……。なるべく一枚に振る。ただしノーマークはないと思って、落ち着いてブロックを見ろ。ストレートとクロスの話しただろ。おまえが抜けないレベルの相手じゃない」

そりゃあ灰島のレベルからしたらこんな田舎の県の中学バレーなんてままごとみたいなものだろう。こっちでいうところの県決勝が東京でいうところの支部予選クラスの規模なんだろうから。劣等感を深めただけでなんの慰めにもならなかった。

灰島が他のアタッカーにもトスを散らすが、打っても打たなくても黒羽にも必ずブロックがつくという状況が続いた。黒羽さえ押さえれば他はたいした強打が来ないのでレシーブで対応可能と敵は判断したようだ。悔しいが有効な戦略だった。

灰島の巧みな采配《さいはい》で自軍も地味に点を重ねてはいくものの、やはり決定打に欠けるため連続得点に繋がらない。ストレスが溜まるシーソーゲームが続いた。いやチーム全体の士気という点では流れは完全に向こうにあった。レシーブが大きく乱れて灰島ですらカバーできない場面も増え、灰島にトスをあげてもらえないといよいよ他のメンバーはなにもできない。

落ち着きを取り戻すどころかどんどん歯車が嚙みあわなくなっていく感覚を黒羽は味わっていた。気持ちは焦るのに身体が連動してくれない。頭と身体がコートのあっち端とこっち端でそれぞれ勝手なことをしているような。スパイク決定率は下がる一方で、しかも最初のうちはブロックに叩きつけてシャットアウトを食らう場面が多かったのが、ブロックにあてるどころか自らネットに引っかけるというミスが目立つようになった。

「もういいからおまえはブロック見るな。見ないほうがましだ。避けようとか考えないで打ちやすいとこに打つだけでいい」

灰島がユニフォームを引っ張って耳打ちしてきたが、さっきは「ブロックを見ろ」って言ったじゃないかと指示の転換に余計に混乱しただけだった。

ジャンプ力が落ちてきたんだろうか？　足に疲労が溜まってるんじゃないか？　一日に二試合するとはこういうことかと意識した途端、急に身体が重くなってくる。膝は大丈夫か？　いつもより負荷がかかっている気がしないか？　無縁だったはずの成長痛がふと心配になりはじめた。夜寝られないくらい痛いっていうそいつが、もし試合中に襲ってきたら？　どうする？　どうする？　どうする――？

対角のポジションから灰島がなにか言っている。しかし声が聞こえない。たぶん物理的には聞こえているのだが心が耳を塞いでいる。灰島の正論なんて今聞かされたってなんの役にも立たない。緊張とも動揺とも無縁のおまえが今おれが欲しい言葉を、おれを助けてくれる言葉を持ってるのか？　持ってないだろう。

どの時点だったかは憶えていない――灰島が諦めたような顔をして視線を背けた。ああ、灰島が諦めたんならこれでもう完全に負けたんだと思った。

小さく漏らした舌打ちと「使えねえ」という悪態が、何故かそれだけ遮断されずに耳に届いた。

*

「整列やぞ、祐仁」

長門に声をかけられて初めて試合が終わっていたことを知った。応援席からぱらぱらと拍手が降ってきている。放心状態でコートに突っ立ったまま得点板に目をやると、セットカウント2-0で、勝者——紋代中。

……って、え？　なにがどうなった……んだっけ……？　ボールに触った記憶がほとんどないんだが……。

エンドライン沿いに整列したチームメイトの顔を見渡しても、勝ったという実感はさっぱり得られなかった。これが本当に勝ったチームの顔だろうか。一回戦で勝利を収めたときのようなはしゃいだ空気はなく、みんなどこか白けた顔をしている。応援席からの賞賛の拍手も、気のせいかもしれないが社交辞令に感じられてならない。

表情を消して立っている灰島の隣に並ぼうとしたとき、いくつかの場面のフラッシュバックとともに、思いだした——全部灰島が、やったのだと。

あの舌打ちと悪態を境に灰島のプレーが変わった。

ジャンプサーブももちろんすごいが灰島の本来の領分はネット際だ。ネット際でボールの支配権を誰にも──敵にも、味方にも渡さなくなった。アタッカーにトスを託すのではなく、ツーアタックで自ら打ち込む場面が格段に増えた。ツーアタックはセッターがトスをあげると見せかけて左手で相手コートに返す奇襲だが、両利きの灰島の左手から放たれるツーの威力は奇襲の域にとどまらない。アタッカーが思い切りスパイクするのと同等の威力で相手コートにぶち込まれる。一時的に敵を浮き足立たせ、これで点差をかなり詰めたはずだ。

だが灰島の悪魔じみた本領発揮はここからだった。敵がツーをマークしてブロックにつくようになると、強打から一転、強打に備えて力んで跳んだブロックの先にわざと軽くボールをあてて自分の側に落とさせるという打ち方に変えたのだ。ふわっと落ちてきたリバウンドをすかさず腰を低くして自ら拾うという離れ技をやってのけ、アンダーハンドパスでそれを近くの味方に振って「あげろ！」と指示。あわあわしつつ味方がトスしたボールを、今度は右手で敵陣に打ち込んだ。

アタッカー並みの、いや並みのアタッカーが打つよりよっぽど強烈なスパイクに会場中が唖然とし、主審の笛すら一拍遅れたくらいだった。

なんであんなことができたんだ……？　技術的にというのもあるが、それ以上にいったいどういう神経で、チームスポーツの根底を覆《くつがえ》すようなあんなプレーを人前でできるっていうんだ？

正直言って、灰島、おまえ……気持ち悪い。

ありがとうございましたという声に慌てて小さく声をあわせて礼をする。隣に立った灰島の影が人間の殻を破っていびつな形に膨れあがったような気が一瞬して、ぞくっと悪寒がした。

8. CONTINUE GAME?

「まあまあ、ほやったの、紘子ちゃん……ほやね、お大事に。あっ祐仁？　もう行く時間か？　忘れ物ないようにな。今日も」

母がどこへやら電話している隙をついて行ってきますも言わずに家を飛びだし、ほとんどもう逃亡犯みたいな勢いで自転車にまたがった。今日も、の続きはなんだったんだろう。今日も頑張るんやざ？　今日も応援行くでの？　どっちにしても聞きたくもない言葉だ。

七月二十七日。大会二日目の今日は準決勝二つと三位決定戦と決勝、計四試合が行われる。準決勝第一試合の開始は九時半。紋代町駅に集合し、全員で電車で鈴無市に移動して会場入りする予定になっている。

駅へと向かう道を立ち乗りで漕《こ》ぐ。しかし家から離れるにつれ漕ぐスピードは落ちていき、左右にぐらつきはじめて、しまいには道幅いっぱいを使って無駄に蛇行していた。プォッ、プォッとクラクションを鳴らされた。振り返ると小型のトラクターが後方に迫っている。

「ボンやないんか。危ないぞー」

ほっかむりの上に麦わらをかぶった老人が運転席からしおしおの目を凝らし、間延びした嗄《しゃが》れ声で言った。

「すまん、おんちゃんー」

ガードレールに自転車を寄せるとトラクターは鈍重な速度で脇を追い越していった。そろそろ運転がおぼつかなくなってるんじゃないかとひやひやする老人たちが農耕車で擦っていくものだからガードレールの塗装は大半が剝《は》げ、派手に歪《ゆが》んでいる場所もある。まっすぐに続く道の左右は見渡す限りの田んぼ。田んぼ。田んぼ。碧《あお》々《あお》とした稲波《いななみ》が夏の風に揺れている。

このままチャリで田んぼに嵌《は》まって足でもひねってみればどうだろう。今日は痛くて歩けないけど明日にはすっかり治るくらいの、ちょうどいい具合に大袈裟《おおげさ》じゃない怪我とかで……などということが頭をよぎるくらいには、気分は後ろ向きになっていた。昨日みたいな醜態《しゅうたい》を晒すくらいならなにかやむを得ない理由で試合にでられなくなればいいのにと、かなり本気で考えている。

だって……灰島がいればどうせ他は案山子《かかし》を立たせといても勝てるんだろうし。

灰島とは昨日の試合後ひと言も喋っていない。顧問は別として部員は誰も灰島に近づこうとせず、人に偽装した異形《いぎょう》のものを見るような目をちらちらと向けるだけだった。灰島と自分たちのあいだにくっきりとした溝が浮かびあがって見えた。それは経験差とか実力差とか、話す言葉の違いとかいう形でもともと存在はしていて、けれど普段は雪に埋もれて隠れた側溝みたいなものだったのだろう。なにかのはずみで上に乗って体重をかけた途端に足を取られて、痛みとともに存在を思い知らされる。

今日あいつと一緒に試合ができる気がしない。行きたくねーなあ……と、再びうねうねと自転車を蛇行させながらそればかりを考えている。ほんのり腹痛すら覚えてきた。腹が痛くなるほど回避したいことがあるって小学校低学年以来じゃないだろうか。いっそこのまま盲腸炎でも発症してくれたらやむを得ない理由というやつに……。

前方からバイクが近づいてくるのが見え、「ん？」と蛇行をやめた。バイクのほうもこちらに気づき、速度を落として停まった。黒羽も自転車を停めて片足をついた。

「おう、顔見るのひさしぶりやな」

塗装が摩《す》り切れたメットをかぶり、アロハシャツに半パンにビーサンという夏場のチンピラのお手本みたいな恰好をした頼道だった。高校三年の夏にしてすっかり年季の入った貫禄《かんろく》を醸している。海にでも行っていたのか陽焼けした顔に無精ひげを生やした風《ふう》貌《ぼう》はどう見ても高校生ではない。

「頼ちゃん……」

どんな態度を取っていいかわからずどうにも中途半端な顔になった。三月からほとんど話さなくなっていたし、顔を見たのも一ヶ月ぶりくらいじゃないだろうか。

「ぜんぜん焼けてえんな。夏休みやろ？」

「あーうん、体育館練習ばっかりやで焼ける暇がないんやって」

「バレーっちゅうんはなまっちろいスポーツやなあ。おっ、ほういや今日試合やったっけ。ん？　昨日って言ってえんかったけ」

「試合はまあ、昨日やったけど……ほれよりなんで駅のほうから？」家と逆方向から来たことも疑問だが、こんな朝早くから頼道が活動しているのも珍しい。

「ダチんちに泊まってたんやけど、朝から呼び戻されてな。紘子が昨日怪我したんやって？」

「えっ……なんも聞いてえんよ？　嘘やろ？　昨日も応援来てたし……」

そういえばさっき母が電話口で紘子の名前を口にしていなかったか。あのときはなにか言われないうちに家をでたいばかりに気にとめていなかったが、あれは紘子の母との電話だったのか。

「怪我って、なんで？　ひどいんか？」

「詳しくは聞いてえんけど、救急車呼ぶようなもんやないらしいでたいしたことないんやろ。ほやけど気になるんやったら来るけ？　ああ、おまえなんや、今から練習か？」

「え？　ああ……」

曖昧な反応をして背中のエナメルバッグに目をやる。昨日勝ち進んだから今日も試合だと、言えばいいのに何故か答えに詰まる。

「どうする？　来るんやったらチャリ置いてこっち乗ったほうが早いぞ」

頼道がコマシ号のタンデムシートを顎で示した。

頼道と遊ぶのは控えると春休み前に灰島に約束した。バイクの二ケツなどあいつにとっては論外だろう。万一事故を起こしたら部としての問題になるから——心の底に溜まった泥沼から、反感の泡がぷかりと浮いてきた。あいつは結局自分一人のためにバレーをやってるんだ。そんな奴との約束をなんで律儀に守る必要がある？

昨日の朝、徹夜で完成させた例の『はばたけ！　黒羽UNIVERSE！』の旗を意気揚々と掲げて自転車で駅に向かっている途中で旗が風を孕《はら》んでバランスを失ったのだそうだ。そりゃああんなものをはためかせて自転車漕いでたら普通に危ない。まさしく黒羽が「田んぼに嵌まって足でもひねりたい」と考えていたあのあたりで昨日すでにコケていた阿呆《あほう》がいたわけである。夜になってから腫れがひどくなってきて、叔母ちゃんが狼狽《ろうばい》して頼道を呼び戻すほどの騒ぎになったが、結果的には捻挫《ねんざ》で済んでいた——。

といういきさつを聞くまでに文字どおりの紆余《うよ》曲折があった。というのも頼道の家に着いたら「診療所に行ってくる」という置き手紙があったのでそのままバイクで診療所に向かい、診療所に着いたらうちには来てないから接骨院のほうじゃないかと言われ、接骨院に着いたら今しがた帰ったところだと言われ、結局また家に戻ってきて紘子たちと合流できたというわけで。無駄に町内一周させられた。

紘子は一階の居間で座椅子に座り、包帯が巻かれた右足を畳の上に伸ばしていた。その背後の床の間に『はばたけ！　黒羽ＵＮＩＶＥＲＳＥ！』がありがたい掛け軸のごとく飾られている。黒羽は顔を引きつらせて旗をおろしにかかった。

「あーっ、なにするんや、わたしの力作をー」

「あほか。こんなもんこさえてえんと一回戦から来てたらコケもせんかったし、試合ももっとおもろかったんやぞ」

「二回戦は面白なかったみたいな言い方やね」

「そりゃ、あんなん……」

尻すぼみになって視線を逃がす。廊下で電話が鳴りはじめ、「お兄ちゃん、電話でてー」と台所のほうから叔母ちゃんの声が聞こえた。二階でドアがばたんとあき、頼道の粗野な足音がおりてくる。「こき使うなやババァ。捻挫くらいで泡食って呼び戻しやがって」「夏休み入った途端ふらふら遊び歩いてろくに帰ってこんあんたが悪い」この家では母親が長男を「お兄ちゃん」と呼んで妹が「頼道」と呼び捨てる。

畳の端に正座して旗を尻の後ろに押し込み、膝の上で拳を握って、

「……面白かったけ。見てて」

昨日の試合の感想を誰かに訊くのは初めてだった。家でも話題にされたくなくて、昨夜《ゆうべ》も今朝も極力家族との接触を避けていた。

「灰島のことやろ、祐仁が言いたいんは。バレーのことはようわからんけど、まあ昨日のあの子は浮きまくってたなあ。応援するほうもちょっと困ったわ」

「ほやろ？　あいつはなんか、どっかおかしいと思うよな？　バレーっちゅうんはチームでやるもんや。あいつ、ひっで上手《うめ》ぇのはわかるけど、あそこまで空気読めんのは致命的に向いてえんわ」

我が意を得たような気がして黒羽はつい勢いづいて膝に体重を乗せた。ところが紘子はどこか淡泊な顔で小首をかしげ、

「空気なあ……。どんなふうに読んで欲しかったんや？　あんたらのレベルにあわせて手ぇ抜いてもらって、ほんで試合負けて、残念やったねえって一緒にへらへら笑いたかったんか？」

「べ、別に、ほーゆうことじゃあ……」

人のレベルにあわせて手抜きする灰島も負けてへらへら笑う灰島も、それはそれで気持ち悪くて近づきたくない生き物だ。そういうことじゃないけど、他にやりようがあっただろうと……他のやりようって？　自分が思いつかないことを灰島だったら思いついて当然だとでも？　正直言ってバレーしか能がない灰島に、あの状況であれ以外にできることがあっただろうか……？

「それ、女子ならありなんやわ」

「え？」

目を白黒させて訊き返した。足が痛むのか、紘子が前屈の姿勢で気怠《けだる》そうに足首をさする。

「みんなの中で突出せんように足並みあわすとか、ほんとは自信あることでもわたしも自信ないわあって謙遜したりとか、女子は普通にやるんやわ。わたしもやるし。ほやけど男子はそんな上っ面の駆け引きなんかせんでも、なんていうんかな、本能みたいなもん？……で、わかりあえたりするんやろなあとか思うんは、わたしの勝手な理想やったんかな……。部活してる祐仁、えらい楽しそうやったし、男子はいいなあって、一人で憧れて盛りあがって、張り切ってあんな旗なんかこさえてもて、もう今、恥ずかしくって、死にたいわ……。夏休みでよかった……。学校行けんくなるとこやったわ……」

膝にめり込みたいのかというくらいに俯けた顔が真っ赤になっていた。

昨日の二回戦で、紘子がこの旗を誇らかに掲げて心置きなく応援できるような活躍を自分がしていれば、今こんなふうに恥ずかしい思いなどさせていなかったはずだと思うと申し訳なくてかける言葉がなかった。試合の空気がおかしくなったのは灰島のせいではない。灰島にあんなプレーをさせるきっかけを作ったのは自分の情けない体《てい》たらくなのだと、本当は痛いほどわかっている。

「ん？　なんや二人してしょぼくれてもて。なんかあったか？」

居間の戸口に頼道の巨軀《きょく》が現れた。気をつけないと鴨居《かもい》に脳天を擦るので軽くかがみつつ電話の子機を掲げてみせ、

「なんかおもっしぇーことんなってるぞ。親戚総出でどぶ浚い中やって。一族連絡網がまわってきたわ」

「どぶ浚い？　落とし物でもしたんけ」

「おう。本家のボンを落としたらしい」などと、悪戯《いたずら》を思いついた悪ガキみたいににやしながら。きょとんとする黒羽の顔を紘子が無遠慮に指さして「午前中から寝言ほざくなや。本家のボンならここにいるやろが」しおらしい態度から一変、頼道には徹底的に邪険である。

「おまえのチャリ、田んぼんとこに置きっぱなしにしてきたやろ」

「置いてきたけど……さすがに田んぼに嵌まったりせんぞおれ。いくつやと思われてるんや」どうせ顔見知りしか通らない道だからチャリ泥棒など起こりようがないし、あとで取りに行けばいいと思って自転車は頼道と行きあった道端に放置してきたのだ。

「部活の顧問からおまえんちに電話あったんやって。おまえ今日試合やったんやってか？　なんで言わんのや」

「……あっ」

ようやく話が繋がった。とっくに家はでているのに集合場所に現れず、途中の道に自転車が放置、目撃者はそろそろボケが心配な親戚のおんちゃん一人、周囲は田んぼだけ……。いやいくらなんでも幼稚園児じゃないんだから中三男子を捕まえてなんだと思われてるのかと釈然としないものはあるにしろ。

壁の時計を見ると九時二十五分を過ぎている。試合開始は――九時半。

「祐仁……」

絃子の声が低くなった。視線にこめられた怒気がちくちくと横面に刺さる。

「まさかとは思ったけど、試合さぼってきてたんか。どうりでやけにのんびりしてると……信じられん。最低やな」

ううう、と黒羽は呻くしかない。田んぼには嵌まらず盲腸炎にもならなかったが、うまい具合に「やむを得ない理由」ができたという気持ちがなかったかといえば、あった。

「今すぐ行きなさい」

「ほ、ほやけどあと五分ではじまるで間にあうわけないし、ほやし灰島がいれば……」

紘子が憤然として立ちあがったので頼道ともどもぎょっとした。「お、おい、足」捻挫した足を庇《かば》おうともせず黒羽のバッグを摑みあげ、鬼のごとき形相でそれを頭上に振りあげて、

「男がごちゃごちゃ言い訳してえんと……」

「おおおおい？」

危うく身をかがめた頼道の頭を越えてバッグが廊下に飛んでいった。

*

自転車を置いてきたあたりが近づくと、路肩に軽トラが縦列駐車しているのが見えた。親戚のおんちゃんたちが熊手やら棒やらを手にして田んぼに浸かり、絶望的な面持ちで泥を掻きまわしている。本家のボンは土左衛門になってあがってくるのが確定しているかのような雰囲気だ。頼道の背中の陰で黒羽はヘルメットを目深《まぶか》にかぶって身を縮こめた。

軽トラ群が楯になってくれたおかげで気づかれずに通り過ぎることができ、ほっとし

た矢先、コマシ号がスピードを落としたので頼道の背中に鼻をぶつけた。

「よ、頼ちゃんっ？」

黒羽を背中にひっつけたまま頼道が後方を振り返り、あろうことか大声を張りあげた。

「おんちゃんたち、ボンのチャリは本家に運んどいてやー」

「えっ……あー！　ボン、無事やないんか！」

「なにー!?」

揃って驚愕した顔をあげた親戚たちに頼道は「けけけ」と嘲笑を浴びせ、スロットルを全開にして猛スピードで逃げだした。振り落とされそうになって黒羽は頼道の胴にしがみついたがどのみち生きた心地がしない。

「おおお怒らしてもてどうするんや!?　きょ、今日帰ったらどうなるんやろ、おれ……」

なにもかも自分の行いが招いたことなので文句を言える立場ではないのだが……このまま家出してどっかに逃げたい……。

コマシ号で試合会場まで送ってもらうこともできるのだが、ちょうど市行きの電車に乗れそうだったので駅でおろしてもらうことにしていた。十時半に会場に飛び込めるかどうかというところだろう。準決勝の開始時間から一時間——第三セットまでもつれ込んでいればぎりぎり間にあうかもしれないが、アップもなしでだしてはもらえまい。勝ったら決勝、負けても三位決定戦があるから出番をもらえる可能性はまだある。土下座くらいはすることになるだろうなあ。先生とチームのみんなと、灰島に……謝るのは、癪だけど……。

「……なあ、頼ちゃん……灰島の東京の学校の奴らが、ネットに灰島の批判書いたって話、憶えてるか？」

風を孕んで膨れた頼道のアロハに顔を叩かれながら尋ねた。

「んー？　ああ」

ばたばたばたばたと耳を打つやかましい音の隙間から気のない相づちが聞こえた。あの情報を利用して灰島を煽《あお》った頼道自身、せこいやり方だと蔑《さげす》んでいた。告白したら軽蔑《けいべつ》されるだろうか……？　でも喉に異物が引っかかっているような感覚が苦しくて、吐きださずにはいられない。

「おれな、昨日の夜、おんなじようなことしたんや……」

昨夜チームメイトの何人かと電話をした。向こうからかかってきたのもこっちからかけたのもある。「あれはさすがにドン引きやわ」「あれやったら一人で試合してろって感じやげな」そうやって互いに不満を言いあうことでなにか安心感を覚えていた。自分だけが不寛容だったり小人物だったりするわけじゃなくて、みんな一緒なんだと確認できたことへの安心感だったのだと思う。たぶん灰島の悪口をネットで晒した連中に働いていた集団心理と同じものがその根底にはあったのだろう。みんなで不満を共有すると、それだけですこし気が晴れるのだ。

紘子をがっかりさせるだろうけど——紘子が憧れるような「本能みたいなもんでわかりあえる」男どうしの爽やかなコミュニティなんてスポ根漫画かバトル漫画の中にしか存在しないのだ。

風の音がうるさくて頼道が返事をしたのかしなかったのかもわからなかった。頼道に話すことで懺悔《ざんげ》したつもりになって気を楽にしようとしていたのかもしれず、自分がいっそう卑怯に思えて黒羽も二度は口にできなかった。

＊

十時二十五分に黒羽が駆けつけたときには準決勝はとっくに終わっていた。試合時間わずか四十分足らずでストレート負けという結果を聞いてにわかに信じられず、

「ほやけど灰島がいるんやし、昨日みたいに……」

「あほか」と顧問に一蹴された。「うちはたしかに灰島ありきのチームやけど、ほやかって灰島一人で勝てるわけないやろが。バレーボールには一人が二回続けてボールに触っちゃあかんっちゅうルールがあるんやぞ？　知らんのか？　ルールブック貸したろ

か？」

むすっとして黒羽は頭を垂れる。だから昨日そのバレーの大前提を覆しかねないドン引きのプレーをしたのは灰島のほうで……。

「昨日おまえ灰島と話してえんのか、ったく……。灰島かって昨日んたなやり方は奇襲みたいなもんやって、わかっててやったんやって言ってたぞ。今日はいくらなんでも通用せんやろって。ほやけどおまえが持ちなおしてくれさえしたら、勝てるって……」

「灰島が……？」

「ああいう奴やで、おまえがえんくても平然とはしてたけど……第一セットの途中でやってもてたみたいやな。なんかおかしい気ぃはしたんやけど、あいつ顔色ひとつ変えんのやもんなあ……おっ、おう、灰島、支度はいいんか？」

顧問の声に条件反射で身が強張った。

薄暗い通路の奥から灰島がゆらりと現れた。紋代中のジャージのズボンに白いTシャツ、エナメルバッグを袈裟懸けにして、顔を洗ってきたところなのか前髪が濡れている。脇腹に軽く押しつけている左手の中指に隣の薬指が添えられ、テーピングがぐるぐる巻きにされていた。

左手中指脱臼《だっきゅう》、だそうだ。

準決勝で負傷者をだした紋代中は控えメンバーの不足を理由に三位決定戦を棄権した。

県大会四位は紋代中の運動部史に刻まれる優秀な成績であるにもかかわらず、どうにも今ひとつ胸を張れない終わり方になった。黒羽の到着と入れ違いになる形で顧問は部員を現地解散させ、灰島に付き添って病院に行こうとしていたところだった。

三位決定戦の開始時間ぎりぎりまで黒羽の到着を待ってもよかったはずだ。しかし顧問が早々に棄権を決めたのは、たとえ黒羽が間にあってメンバーが足りたとして、灰島が機能しない状態では三位決定戦に見合う試合ができないとの判断からだろう。黒羽がいなくても準決勝はできたわけだが、灰島がいないと根本的にチームが成立しない。

灰島が伏せ気味にしていた視線をあげた。黒羽の姿を認めるなり細い目が心持ち開かれた。唇がなにか言葉を紡ごうとして薄く開く。殴りかかられるんじゃないかと思って黒羽は歯を食いしばった。

が、灰島は脱力したように小さく吐息しただけで、再び目を伏せた。……目が赤い？　まさか泣いてた？

「……なんだ。生きてるじゃねえか……」

などと小声で吐き捨てられた。すこし鼻声だった。バレーとは切っても切れない関係にある脱臼というものを黒羽は今のところまだやったことがないが、泣くほど痛いという話は聞く。それとも負けて悔しくて？　悔し泣きというのを自分は今までにしたことがあっただろうか。ないと思う。……灰島の痛みが一つもわからないことが、なんだか後ろめたい。

「いつ死んだことになったんやおれは」

試合をぶっち切ったことをまず謝るべきなのに「すまん」のひと言がでてこない。つい軽口を返したが、ノーリアクション。無言で顧問の脇を抜け「灰島、タクシーで行くでそっちやなくて……」背にかけられる顧問の戸惑った声を無視して、目をあわせることなく黒羽とすれ違う。

肩が触れあった。黒羽はよろめかなかったが灰島のほうがよろめいた。

三月の一件がふと頭をよぎった。頼道に張り倒されたあと、なにか大事な回路が焼き切れて生気のない人形みたいになったときの灰島を彷彿《ほうふつ》とさせて、

あっ……。

頭の中で符号が合致し、バカな軽口を叩いた自分に愕然とした。灰島にとってチームメイトの生き死には軽口で語れることではない。トラウマとして刻まれているくらいのことのはずだ。詳しいことは知らないが、灰島のせいでチームに自殺未遂者がでたらしい。

まさかこいつ、おれがただ気が進まなくてずる休みの理由をこねくりまわしてるあいだ、本気でそれを恐れて……。

「灰……」

離れていく灰島の背中をはっとして振り返ったとき、声が聞こえた。

「おまえの〝評価〟は、わかった。もういい……」

灰島の声とは思えないほど通りの悪い、掠れた声だった。

とっさに返す言葉がでなかった。すぐに追いかけて腕を取って、違う、と否定すればいいのに足が地面に張りついて動かなかった。

否定しようにも実際にやってしまった。電話をまわして陰口を言いあうなんていう卑劣なことを。一緒に試合をしたくないという理由でサボタージュするなんてガキっぽいことを。おまえの評価はおれが自分で決める、だとか恰好つけて宣言しておきながら、結局前の学校でのことと同じ思いを灰島にさせたのだ。

　転校当初のようにヘッドフォンをしているわけでもないのに、その後ろ姿には硬い殻が張り巡らされていて、呼びかける隙を見つけることができなかった。ああ……どうして今こんなことまで思いだすんだろう。灰島はいつからかあの、前の学校の校章が入った鞄を持ってこなくなっていたのに。

　逆戻りだ。

　……まさか、終わり？　これで終了？　挽回しようと思ってももう次の機会はないのだと、そのとき初めて思い至った。なんで今まで考えていなかったんだろう。中三の夏の大会は一度しかない。最初で最後の大会なんだって。なんで一分一秒を惜しんで心に刻みつけておかなかったんだろう。三位決定戦棄権なんていう拍子抜けな結末で終わらせてしまったんだろう——。

時間が急にびゅんっと、目眩《めまい》がするほどの速さで進みだした気がして、倒れないように両足で地面を踏みしめた。

終わりたくない、こんなところで。

まだ——まだ、灰島とバレーがしたい。

第二話　ドラキュラといばら姫

1. BENCHWARMER

二メートル二十四センチと、
二メートル四十三センチ。

なんの数字かっていうと、高校バレーの全国大会のネットの高さ。前者が女子で後者が男子。

その差十九センチ。つまり男子は女子より十九センチ高いところでプレーしている——かというと、話はそう単純ではないとわたしは思っている。一般的な高校生の垂直跳びの平均値を比べただけでも男女で約二十センチの差がある。それに平均身長差や腕の長さの差を加えたら、下手したら四、五十センチの違いになるはずだ。

男子は女子よりも十九センチ高いネットの上の、さらにもっとずっと空中高くで競いあう。男子の空中戦の迫力を見ていると、わたしたち女子バレーはなんてせせこましく床の近くをばたばたしてるだけなんだろうと思えてくる。もちろん日本では女子バレーのほうが伝統的に人気があるし、女子ならではのコンビプレーやラリーの連続にこそバレーの面白さを見いだす人も多いだろうから、あくまでわたし個人の考えだっていうことは付しておく。……ただそれでもやっぱり言わせてもらうと、ラリーが続くのは女子のスパイクが〝反応可能な〟威力とスピードだからにすぎない。男子のスパイクになんか反応できないのだ。

わたしは男子のプレーに惚《ほ》れ込んでいた。あんなふうにプレーしたいって、純粋に憧れていた。

「すまんすまん、女バレの人やろ？　今日打ちあわせするんやったっけ。えーと……」

ひときわ背の高い男子がわたしの姿を見つけて急いで駆けてきた。といっても一歩の幅が大きいから足取りもゆったりして見える。キリンに似てる……と、アフリカの草原を安穏《あんのん》と闊歩《かっぽ》するあののっぽの草食動物のイメージが即座に重なる。

「２－Ａの末森《すえもり》です。どうも」

素っ気なく名乗ってわたしはコートのほうに目を戻した。さっきから目立っている一人の男子がちょうどスパイクを打つところだ。二メートル四十三センチのネットの上に腰まででてるんじゃないかってくらいのものすごい跳躍をして、「つりゃ！」って気合いとともに豪快なスパイクがはじけた。

大きくバウンドして飛んできたボールを「おっと」と例のキリンっぽいのっぽが長い手を伸ばして受けとめた。下手《したて》で転がし返しながら「女子にあたるやろ、阿呆《あほう》。気ぃつけろー」とあきれ気味の声を飛ばす。舌の上に残るような感じの喋《しゃべ》り方と低音の声がやっぱりキリンを思わせる（キリンが喋ったところはもちろん鳴き声だって聞いたことないけど）。一七三センチのわたしはクラスで男子を含めても上位に入る高身長で、女子扱いされることなど滅多にないのだが、キリン男子からしたら女子の基準に収まっているようだ。くすぐったさの反面で居心地の悪さも覚える。


「すんませーん」

さして反省してなさそうな声を投げ返しつつ、今打った男子はスパイク練習の列の後ろに再びついた。

「えーとほんで、あらためて、末森さん。おれは３－Ｃの青木《あおき》です」

「知ってます。副会長ですよね」

ああどうも、とキリン青木先輩は口の端を曲げて葉っぱを食《は》むような笑いを浮かべた。

「あの一年生、黒羽祐仁《くろばゆに》ですか？」

「え？　ああ、知りあいやったんか？」

「知りあいやないですけど、同中《おなちゅう》の後輩やし、顔くらいは」

長い列でもないのに順番を待ちきれずにぴょんぴょん跳ねているその一年を眺めやり、本当にそうだったのか、と自分で確認しておきながら驚いた。疑問形になってしまったのは中学のときの印象とずいぶん違っていたからだ。黒羽祐仁といえば紋代《もんしろ》中の歴史に語り継がれる〝補導常連四天王〟の一角、黒羽頼道《よりみち》の腰巾着《こしぎんちゃく》、無駄にでかいだけの文系男子ではなかっただろうか。

〝男子って急に上手《うま》なったりするしなあ〟

以前誰かに聞いた台詞《せりふ》がふと頭に浮かんだ。誰が言ってたんだっけ……ああ、あやのだ、と思いあたってすこし胸が疼《うず》いた。

昨年、わたしの出身中学の男子バレー部は夏の県大会で四位という好成績を収めたと聞いた。わたしが在校していた一昨年《おととし》までは弱小部……どころか存在すらしていないと言ってもよかった男子部になにやら奇跡をもたらした転校生がいたという。

「紋代中から今年入ったのって、あの子だけですか？」

「紋代中ー？……は、黒羽と、あとあっちにいる長門《ながと》がほやったかな」

長門と呼ばれた一年生も中学時代に見たことがある顔なので転校生ではない。

「うちの後輩に上手いセッターが入ったって聞いたんですけど、その子はうちには来んかったんですね……」と、呟《つぶや》いたわたしの声にかぶり気味にキリン青木先輩がげほげほげほと突然激しく咳き込《せ》んだ。

「……大丈夫ですか？」

「いやえーと、砂 埃《すなぼこり》が」

「男バレってちょこちょこ軟弱ですよね」

「手厳しいなあ、末森さん」

けほっともう一つ軽く咳をしながら青木先輩は鼻白《はなじろ》んだように肩を竦《すく》めた。

「性分なんで」

表向きには素っ気なく答えつつ、あーまたやってしまったと内心で自分にうんざりする。わたしのこういう発言が人を傷つけるんだって、十分に思い知っているのに。

幸い青木先輩はべつだん気を悪くしたふうもなかった。

「まあ否定もできんからいいけど。さて、打ちあわせやったな。あ、おれは副主将な。主将はあっちの小田《おだ》っていう奴で……おーい、伸《しん》、球技大会の話やってー」

福井県七符《ななふし》市にある県立七符清陰《せいいん》高校。わたしや黒羽の家がある紋代町から七符駅までは電車で二十五分。家から紋代町駅まで、および七符駅から学校までの移動時間を含めると約一時間の通学路になるが、紋代中からの進学者もちらほらいる学校だ。

六月下旬に開催される球技大会「清陰球技祭」は我が校の一学期のメインイベントと言っていい。男女混合ソフトボール、男女混合フットサル、男子バスケット、女子バスケット、男子バレーボール、女子バレーボールの六種目が行われ、実行委員会の統括のもと各運動部が運営に協力する。ちなみに多くの運動部にとって夏の全国大会に向けた県予選の時期と重なるため、本来なら学校行事にかまけている暇などないはずだけれど、我が校に全国まで行くような部はないのでなんの問題もない。むしろ県予選で敗退してひと息ついた時期だったりする。

というわけでバレーボール部門においては男女各バレー部員から係員を送りだして運営にあたらねばならないのだが、男子バレー部の部員の少なさといったら実に伝統的なもので、対して伝統的に部員数の多い女子バレー部から助っ人要員をだすのが毎年の恒例になっているのだった。

そしてまことに遺憾《いかん》ながら今年、その調整役として男バレに送り込まれたのがわたし、女バレ二年、末森荊《いばら》である。遺憾ながらというのは……この調整役に指名されることは、選手として落ちこぼれの烙印《らくいん》を押されるのと同義だから。女子部では役に立たないと判断された者が飛ばされる閑職《かんしょく》なのだ。

「……で、去年のやり方を踏襲すると、主審は先生にやってもらいますけど、部員から副審一人、得点一人、ボールリトリバー二人、線審四人。モッパーは割愛でいいとして、これで一試合につき八人必要になります。ボールリトリバー二人と線審二人を女子からだします。女子のほうの運営もあるんでうちもこれ以上は割けません。男子からは副審、得点、線審二人の四人を各試合ごとにだしてください。競技にでる人とかぶらんように調整して振り分けなあかんのが難しいと思います。ここまでで質問ありますか？　先輩たちは三年目やし、まあわかってると思いますけど……」

女子部の先輩から引き継いだメモに目を落としながらそこまで説明したところでわた

しは顔をあげ、三年生男子二人のどうにも頼りない面持ちを見て不安を強くした。なんていうかこの、男バレという生物一般に共通するそこはかとない草食っぽさはどうにかならないものか。

例のキリンを思わせるやたら長細い三年生が副主将の青木操《みさお》先輩。対して主将の小田伸一郎《しんいちろう》先輩は、こう言っては悪いのだけど〝ちんちゃい（小さい）〟男子だ。わたしよりも十センチくらい小さいだろうか。わたしが女子にしては長身というのを差し引いても男子の平均をだいぶ下回る。リベロなのかな……？　しかしルール上リベロは試合時のチームキャプテンになれないので、部の主将がリベロではなにかと不都合があるはずだ。

青木先輩をキリンとするなら小田先輩は……なんだろう、犬……そう、犬。柴犬。駄目だこの瞬間から柴犬にしか見えなくなってきた。なんか尻尾《しっぽ》ぱたぱた振ってる幻覚まで見える。なんでわたしはキリンと犬と顔をつきあわせて大真面目な話をしているのだ。誰かに言いたくてしょうがない……あやのに言えたらいいのに……。

「あと当日やなくて前日までの仕事ですけど、来週からチーム練習がはじまるんでその協力もあります。男バレは当日は中ですけど、練習は外の日も……」

体育館は二面しか取れないので屋外コートの二面と併せた四面を男女各バレー、バスケの四種目が奪いあうことになる。中が「当たり」で外が「はずれ」扱いなのは通常の部活の枠取りと変わらない。外コートの地面は乾いた土で、滑り込みレシーブをしようものなら砂塵《さじん》に咳き込むはめになるわジャージもボールも真っ白になるわ、天気によっては暑いわ寒いわでとにかく毛嫌いされている。雨あがりでぬかるんだ日の惨劇に至っては言わずもがな。

くじ引きの結果今年の会場は女バレと男バスが「はずれ」の外、男バレと女バスが「当たり」の中に決まっていた。

「……今年、運がよかったですね」

話の合間にぽつりと漏らすと、小田先輩と青木先輩が揃《そろ》って心持ち身を強張《こわば》らせ、ちらりと視線を交わしあった。「なんですか?」共犯者がアイコンタクトを送りあうみたいなやりとりにわたしは眉をひそめた。

小田先輩が渋い顔で溜《た》め息をつき、青木先輩を横目で睨《にら》んだ。

「それについては実は、こいつのイカサマで……」

「あー、女バレの人にバラしたらまずいやろが。おまえが今年どーしても中欲しいって言うでやろ」

「不正をしろとはひと言も言ってえんぞ。女バレが納得せんのやったら抽選やりなおしてもらったかっておれはかまわん」

「せっかく取ったのに堅苦しいこと言わんでもー」

うーと唸《うな》ってキリンに詰め寄る柴犬、へらへら笑って長い首をのけぞらせるキリンという幻覚に頭痛を覚えつつ、思いあたることがあった。青木先輩は生徒会副会長。球技大会は生徒会の主催で、実行委員長には副会長が就任するのが慣例だ。くじにイカサマを仕込むことも可能だろう。

「別にいいんでないんですか。チクったりしませんし」

努めて気のない声でわたしは言った。

「……棺野《かんの》のため、ですよね？」

二人の先輩がまばたきをして、もう一度視線を交わした。それから小田先輩はやっぱりばつが悪そうに、青木先輩のほうは悪びれたふうもなく、けれど二人ともはにかみ笑いを作って、

「はい」

って声を揃えて頷《うなず》いた。

2. DRACKY

すこし話を遡《さかのぼ》ろう。去年の夏休みあけ、九月のことだから、あれはもう九ヶ月前になるのか——わたしが今よりずっと偏屈で意固地で肩が凝る生き方をしていた頃のことだ。

中学生と高校生との実質的な境界線は高校一年の夏休みにこそあるに違いないと、一学期と比べて全体的にうっすらと垢抜《あかぬ》けたクラスの女子を見渡してわたしは得心《とくしん》したものである。一学期中は校則どおりにしていたスカートの丈を詰めてきた子が一気に増えたのを皮切りに、ピアス穴をあけてきていたり、髪型もただの野暮ったいボブやロングじゃなくて、よくわからないけどどことなく毛先のカットがお洒落《しやれ》だったり前髪を斜めに流していたりして、彼氏とプールに行ったとか初体験したとかいう話題も嫌でも耳に入ってくる。

一方でわたしと、チームメイトのあやのはというと、夏休み中もほぼ毎日部活漬けだったのでそういう浮ついた夏の体験とは縁がなく、休みあけのわたしたちの話題といったら、

「ほういや県中《けんちゆう》の応援行ったー？」

とかいう色気のないものだった。

「んー、行ってえんよ」

「同中《おなちゆう》の子らと行ったりせんの？　うちはいっこ前の卒業生が差し入れ持っていくんが義務みたいになってるよ」

「あんまり顧問と仲良なかったでなあ、うちら」

モップを片手に掃除ロッカーをあけながらわたしは答える。ひと足先に廊下の掃除を

終えてきたあやのが二人分の荷物を提《さ》げて待っている。わたしは学生鞄とエナメルのスポーツバッグを別々に持ってきているが、あやのは水玉模様のリュックサックに持ち物を全部詰め込んでいる。

「結果だけは聞いたけど。一回戦負けやって」

一昨年から二年連続で北信越大会に進出した我が母校、紋代中女子バレー部だが、今年は情けなくも初戦敗退で終わったとのことだった。まあ去年と一昨年の強さはわたしがいてこそだったしと、ことさら言いはしないけど内心わたしは鼻にかけていた。

「莉ちゃんのガッコ、今年は男子が強かったんやろ」

「男子ぃー？　うちの男子なんてからっきしやよ？　ていうか公式戦でれるくらい部員えんよ？」

「ほやけど今年四位やろ？」

「四位⁉　嘘《うそ》やろ⁉」

思わずモップを乱暴にロッカーにぶち込んでしまい、甲高い音がスチールの壁を貫いた。あやのが首を竦めながら「嘘やないよー？　同中の子で男子の試合見に行った子がいたんやもん」と頬を膨らませる。男子の試合会場まで足を運ぶ女子がいるというのがわたしとしてはさらなる驚きだ。

「ひっで上手いセッターの子がいたらしいよ。三年生やったっていうで去年もいたはずやけど、知ってる子やないんか？　ほんな上手い子がいるんやったら去年ももっと上まで行ってよかったと思うけどなあ」

「えー……ほんとに知らんわ。そんな子いたかなあ？　上手いセッターなんていただろうか。まったく印象にない。今年三年生ということは一学年下だが、上手いセッターなんていただろうか。まったく印象にない。飛び抜けて背が高い男子もいなかったはずだ。あの学年の中では黒羽家のボンボンがちょっと大きかった憶《おぼ》えはあるが、でもぜんぜん上手くはなかった。

「まあ男子って急に上手なったりするしなあ」

ぽやっとした顔であやのが呟いた。なんとなくなんだけど……その台詞が気に入らなくてわたしは「掃除終わり。行こっさ」と、ちょっと手荒くあやのの手から荷物をむしり取った。

「莉ちゃん、今から部活ー？」

「頑張ってねぇ」

廊下にでたところで隣のクラスの女子二人組に声をかけられた。二人とも背丈は一五〇センチそこそこでちまっとしている。部活は文化系のなにかだったはずだ。

「ありがとう。気ぃつけて帰んねや」

二人の頭にぽん、ぽんと手を置いてすれ違ったら彼女たちはきゃあっと歓声をあげ、手を取りあって跳びはねていた（ほんとにちょこっと、床から五センチも浮かないくらい)。

「莉ちゃんはまたほーやってナチュラルにフェロモン振りまいて……。莉ちゃんのせいでうちの学年の男女カップル率低いって言われてるんやよー」

とあやのが苦笑した。

わたしは小学校の頃から背が高いほうで、「かわいい」よりも「かっこいい」系の女子の扱いをずっとされてきた。バレー部のエースを務めていた中二から中三時代、二月十四日には可愛らしくラッピングされたチョコレートで部活用のバッグがいっぱいになったものだ。髪ももう長いことショートにしている。中一の長期休みあけ、ちょっとだけ伸ばして行ったことがあるのだが、当時クラスで一番華奢《きゃしゃ》で小さかった子に「莉ちゃんは長いのは似合わんなあ。短《みじ》こしてるほうがかっこいいわ」って無邪気に言われて、その日のうちに自分の部屋のハサミで切った。自分に求められているキャラというのをはっきり悟ったのがそのときで、以来わたしは自ら「かっこいい」女子であることにアイデンティティを見いだすようになった。

エース候補として鳴り物入りで清陰女子バレー部に入部した時点で一七三センチ。並みの男子に比肩《ひけん》する身長。ただ二、三年の先輩の人数が多いから今はまだベンチにも入れない。

わたしが今一番欲しいものはベンチメンバーのユニフォームであり、一八〇センチの身長であり、人より一センチでも高く跳ぶためのバネであり、ピアス穴とか毛先にちょっと工夫がある髪型とかではない。胸は邪魔だから小ぶりのほうがいい。将来子どもなんて産めなくていいから生理がなくなって欲しいとかなり本気で思っている。

第一グラウンドのフェンス脇にある二階建ての長屋が運動部の部室棟だ。主に一階が屋外を使う部、二階が屋内を使う部に割りあてられていて、女子バレー部の部室は外階段を上って手前から二番目にある。

一階に並ぶ野球部やサッカー部の部室の前で、先輩に締めだしを食らった一年生男子たちがだらだらと着替えていた。よくある光景なのでわたしたちは気にもとめずに通り過ぎる。半裸だろうがトランクス丸だしだろうが一年生なんてまだ中坊と体格はたいして変わらない。

「あんたらパンツ見えてるよー」

外階段を上りながらあやのが踏み板の隙間《すきま》を覗《のぞ》き込んでからかった。

「いやや、痴漢ー」

などと男子たちが身をくねらせて笑い声をあげた。

「タダで見してやったんやでお返しにパンツ見せろやー」

「残念でした、短パン穿《は》いてまーす」

ズボンを半端に穿いた恰好《かっこう》で階段の下に集まってきたバカ男子たちに向かってあやのがわざと制服のスカートをつまみあげてみせる。わたしはつきあわずにあやのを置いていく。

「なにー、短パンは邪道やぞ」「男のロマンをなんやと思ってるー」とブーイングがあがる一方、ざわざわと囁《ささや》きあう声も聞こえた。「見たけ？　末森って短パン穿いてねえやろ、あれ」「白やった、白」

馬鹿馬鹿しいことでよろこんでいる男子どもにわたしは憤慨《ふんがい》し、あわよくば鉄鋼の踏み板を踏み抜いてそのすっからかんの頭に蹴り落としてやろうっていう足取りで階段を上りきり、

「失礼しますっ」

と勢いよく部室のドアをあけた。

放課後になるとまず先に一年が着替えて準備に向かい、そのあと二、三年がゆっくり着替えてくるというのが女子バレー部の習わしだから、今の時間部室で着替えているのは同じ一年の女子のみ——と、思いきや。

異分子がいた。部室の真ん中に立たされてまわりを女子部員に包囲されている、一体だけ異なる生き物。

「……なんで棺野がいるんや？」

険のある声で言ったわたしの後ろからあやのがひょこっと中を覗き、

「あー、ドラキー拉致《らち》られてるー」

とけらけら笑った。

乱暴に投げ込まれたような形で棺野の足もとにエナメルバッグが落ちていた。女子部員はみんなTシャツにハーフパンツといった夏らしい練習着に着替えていたが、棺野はまだ制服姿だ。清陰高校の制服は男女とも黒のブレザーに赤系のネクタイだが、季節柄もちろん夏服なので上着は着ずに男子はワイシャツ、女子はブラウスだけになる。しかし棺野に限ってはワイシャツの上に長袖のパーカーを着込み、フードを目深《まぶか》にかぶって顎《あご》まできっちりジッパーを締め、さらには袖の中に両手をすっぽり収めているという季節はずれ感に満ち満ちた恰好である。

「はーい。ドラキー捕獲してきましたー」

「女バレで練習するからには女バレの部室で着替えるんが筋やと思うんやけどねえ」

「ほら、早く着替えんと先輩来てまうよ」

「ほれか先輩たちと一緒に着替えたいっちゅうことかなあ？　意外とむっつりなんやねえ」

囃《はや》す声に囲まれて棺野は俯《うつむ》いたまま首を振る。「ほんなら早く着替えねや」とパーカーに手を伸ばされると「やめ」ってものすごいちっちゃい、蚊が鳴くような声で言って振り払おうとして、長く伸びた袖が空を切る。その弱っちい抵抗の仕方がますますみんなに面白がられる。ほうぼうから引っ張られて伸びるパーカーを必死の体《てい》で引っ張り返して背中を丸める。

フードの陰から覗く顔は病的なほど蒼白《あおじろ》いのだが、唇だけがいやに紅《あか》い色をしている。頬に薄く散ったそばかすも相まってどことなく西洋人っぽさが混じった風貌《ふうぼう》はまさに日光に怯《おび》える吸血鬼といった感じで、あだ名が的を射ていることは否めない。

乱痴気な騒ぎを半眼で睨んでわたしは中に踏み入り、わざと大きな音を立ててロッカーに荷物を放り込んだ。

「練習時間削られてまうで早く着替えてくれんか？　別にあんたの生着替えになんか興味ないし、わたしも見られたかってなんも気にせんわ。残りの子ぉらは着替え終わってるんやったらはよ行ったら？」

棺野だけでなく棺野を囲んでいた女子たちに対しても厳しい口調で言うと、彼女たちは鼻白んだ顔をしつつ「はーい」「荊にはかなわんなあ」と素直に従った。

ロッカーに向きなおってぱっぱと着替える。ネクタイをほどき、ブラウスのボタンをはずして背中をはだける。「わたしも着替えよーっと」あやのが明るく言い、わたしの脇の下をくぐって自分のロッカーにリュックを突っ込んだ。

視線を感じて肩越しに振り返ると、棺野がびくっとしてからあっちを向いて着替えはじめた。亀が背負った甲羅のごとく大事そうに着込んでいたパーカーを脱ぎ、ワイシャツをもそもそと脱ぐ。背中を丸めてTシャツを頭から引っこ抜いたとき、あれっ……と驚いた。夏休み前と比べて身体《からだ》が厚くなっていないだろうか。洗濯板って言われるくらい薄っぺらくて貧弱だった上半身に、うっすらとだけれど筋肉の層が一枚ついた、ような……。白の半袖Tシャツから黒の長袖Tシャツに着替え（結局パーカーとあまり変わらない……）、ベルトをはずしてズボンをおろす。Tシャツの裾《すそ》からトランクスが覗いたところで、

……あ。

我に返ってわたしはぐるんとロッカーのほうに顔を戻した。興味ないと言っておきながらつい棺野の着替えをガン見していたのだった。妙に焦ってスカートの下にハーフパンツを引きあげながら……その前にTシャツを……着るべきだった……。スポーツブラだけを身につけた背中に棺野の視線をまた感じる気がする。さりげなく横目を送ると、しかし棺野は背中を向けたままロングパンツに片足を入れているところだった。大腿部《だいたいぶ》にもうっすらと筋肉の厚みが増しているように見えた。

なんだか目のやり場がなくなって視線を逃がしたとき、鼻歌まじりに着替えているあやのの胸の谷間が目に入った。ちょっと見ないあいだにずいぶん谷間が深くなっていて、

たわわに成長した胸を包むブラもおとなの女の人が身につけるようなつるつるてかてかした素材の、カップが大きいものになっていた。わたしだけを置き去りにしてどうやらあやのも夏休みのあいだに〝境界線〟を踏み越えていたらしい。

＊

棺野について補足しておかねばなるまい。

棺野秋人《あきと》は週の半分を女子バレー部で練習する男子バレー部員である。……意味がわからないと思うがそれも致し方ない。健康上の事情で屋外での長時間の運動ができないとのことで、男バレが外練習にあたっている日は体育館で女バレの練習に参加するという特別扱いを許されているのだ。紋代中バレー部時代からこの措置が適用されており、同中《おなちゅう》出身のわたしは棺野とは中一以来の〝半分だけの〟チームメイトということになる。

たとえばだけれど、棺野がすぐエロいことを口にするお調子者のバカ男子だったり、あるいはものすごい男らしいマッチョだったりしたら、女バレにおける扱いはまた違ったものになっていただろう。だけど実際の棺野は見るからにひ弱で、性格ときたら根暗で引っ込み思案で、からかわれても頑とした態度で抵抗できないような男子だったから、中学時代から女子部員の恰好の玩具《おもちゃ》にされてきた。高校入学時点での身長は一七〇センチに届かないくらいだったと思う。男子バレー選手としては大きいとは言えず、それ以上にあまりにも細かった。

部の雑用を押しつけられる程度ならかわいいもので、中学では個人練習という名目で集団からボールをぶつけられるといったリンチじみたこともされた。高校ではそういうフィジカルないじめが影を潜めたかわりに、今日みたいにセクシュアルなからかいの的にされることが増えた。

一つ不可解なことがあって——普通だったら辞めてもおかしくないくらいのことをされているのに、辞めるどころか棺野はよほどの理由がない限り練習を休まない。学校公認の事情だってあるのだし、女子部の練習にまで真面目に参加せずとも、できる範囲で男子部の練習に顔をだせばいいんじゃないかと思うのだが……。

「あの、荊ちゃん、さっきはありがとう」

パス練中に棺野が小さい声で言った。パス練は基本的に二人一組でやるが、初めて棺野が女子部にまじって練習した中一の初め、余り者になってぽつんとしていたところを見かねてわたしが誘ってからというもの、三年たった今に至るまで棺野はほくほくとわたしがいるペアに入ってくる。高校でわたしがあやのと仲良くなってからはわたし、あやの、棺野の三人組になるのが常だ。

「お礼とかいらんし。わたしが着替えたかっただけやで、あんたを庇《かば》ったわけやない」

わたしは棺野いじりのメンバーに入っていないが、だからといって棺野に優しいわけではない。実際わざわざ棺野を庇ったことは一度もない。さっきみたいな場面に居合わせたとしても、わたしの進路上にさえいなければ放っておくことだってある。なのにどうも中学時代から妙に懐かれている。

荊ちゃんいつも助けてくれてありがとう。荊ちゃんはかっこいいなあ。おれも荊ちゃんみたいになりたいなあ……。蒼白い顔を仄《ほの》かに赤らめ、なにやらうっとりした目をして、今までに何十回となくそういうことを言ったものである。

中学時代は「荊ちゃん」呼ばわりにも違和感はなかった。部内でそう呼ばれてたから棺野も自然と同じ呼び方をするようになっただけのことだし。しかし高校生男子が女子を呼ぶのに下の名前にちゃんづけは……どうなのだ？　わたしのほうはかつての呼び方「あっくん」の気恥ずかしさにふと気づいた瞬間から呼び方を変えたというのに。

「荊ちゃんはドラキーのナイトやもんねぇ」

にやにやして冷やかすあやのを横目で睨んで黙らせた。視界の反対側の端で棺野がはにかんでこくこく頷く。いや普通は逆だろうが。女子にナイトになってもらって嬉しそうにテレテレするなっていうの……。

三角形を作った三人のあいだをボールがまわる。オーバーハンドパス、アンダーハンドパスでしばらくまわしたあとは、スパイクを加えてトス、スパイク、レシーブ役を順にまわしていく。

棺野がわたしに対してスパイクするとき、毎回打つ前に腕の振りが一瞬とまる。わたしの顔色を窺《うかが》うような間があってからばちんと打ってくる。

残暑厳しいこの季節、しかも最悪なことに今日は隣のコートがバド部なので窓を閉め切っており、体育館は蒸し風呂と化しているというのに、棺野は長袖のTシャツにロンパンという一人浮いた恰好で涼しい顔をしている。傍《はた》で見ているこっちがのぼせてきそうだ。

棺野の〝健康上の事情〟が日光にあたってはいけないなにからしいということはみんななんとなく聞かされていた。屋外だけでなく屋内でも極力肌の露出を抑えた恰好を貫いているので、棺野の生肌《なまはだ》は稀少《きしょう》だとそれもまたネタになって「ドラキーの生肌を撮るミッション」というのに一部の女子が燃えていたこともあった。

「なあ、ほれよりあんた県中《けんちゅう》のこと知ってたんか？　うちの男子四位ってほんと？」

「あ、うん。おれは見に行ってえんけど、四位はほんとやって」

「ひっで上手いセッターって誰？　そんな子いたか？」

「あっそれ、三学期に来た転校生やって。おれは会ったことないでよう知らんのやけど

「……すいません」

意味もなく恐縮する棺野に軽い苛立《いらだ》ちを覚えつつも、そういうことかと腑《ふ》に落ちた。三学期ならわたしたちの代はとっくに引退していたから知らなくても仕方がない。

「へー、なんかすごい子なんやね。来年うちに来てくれたらいいねえ」

あやのが屈託なく口を挟み、「うん」と棺野が頷く。うちの高校の男子部の人材などわたしは正直どうでもいいのだが、あのヨワヨワ紋代中男子部を県四位にまで引きずりあげたセッターには興味を覚えなくもない。

棺野が現役だった頃の紋代中男子部は慢性的な部員不足で、市町交流戦のような非公式の試合はともかく公式大会には出場できなかった。どうせ男子部は出場しないんだからと女子部の子たちが棺野に女子のユニフォームを着せて女子の試合に引っ張りだそうとしたことがあって、さすがに顧問に怒られたが、仮に実現していても案外相手チームにバレなかったかもしれない。ただしたとえバレずとも顧問がとめずとも、わたしが出場を認めなかっただろう。理由は単純明快で、性別以前の問題として、レギュラーのレベルに達していないから。棺野は女子部の中でも小さいほうだったしパワーもなかった。

中学の頃は、の話だ。今の棺野に女装させたって絶対すぐバレる。

レベルのほうは……どうだろう……？

わたしのレシーブが高めに逸《そ》れ、棺野がジャンプしてワンハンドで軽くボールをはたき落とした。腕がにゅるっと一・五倍くらいに伸びたように見えた。迫《せ》りあがったTシャツの裾からちらりと臍《へそ》が覗いた。〃稀少な生肌〃。あやのが「ほいっと」とサイドステップでカバーに入る。ワンアクションごとに胸が揺れるのがどうも目につく。胸だけでなく二の腕やウエストにも夏休み中にひとまわり肉をつけてきていた。あやのは太りやすい体質らしくてちょっと目を離すところっと丸くなってくる。

あやのが短い手足でけっこう頑張ってボールを追いかけている一方で、棺野の動作は一つ一つが伸びやかで、余裕でやってのけているように見える。わたしはさっきからなにか、自分でも正体がわからないざわざわしたものを身体の中に溜め込んでいる。

「ほやほや、ほういや県中の話どころやないって荊ちゃん。聞いたよドラキー、秋大《あきたい》でスタメンやったんやって？」

「え⁉」

あやのが切りだした話題に自分でも驚くほど大声をだしてしまい、棺野がオーバーハンドを滑らせて「ぷっ」と顔面でボールを受けた。鼻を押さえながら「すいません」とまた無駄に恐縮し、転がっていったボールを拾いにいく。

秋大こと秋季大会は、秋季と銘打ちつつも夏休み真っ最中の八月上旬にある県大会だ。単発の大会なので全国大会への切符が懸かっているわけではないが、夏の大きな公式戦になる。

前述したとおり紋代中男子部は公式戦にまともに出場できない零細部だった。練習だって棺野にとっては本来の男子部でやる日より女子部でやる日のほうが充実していたはずだ。対外試合にはでられなくとも部内の紅白戦には入ってゲーム経験も積んだし（男子部には紅白戦をやれる人数すらいなかったのは言うまでもない）。つまり棺野は高校生になってようやく記念すべき公式戦デビューを果たしたのである。

へえ、おめでとう！　って祝福しようとして、

「……なんで言わんの？」

口をついてでたのは何故《なぜ》か、棘々《とげとげ》した低い声だった。

「す、すいません。あの、男子は部員少ないし……」

「なんでそんなことで言い訳するの？」

「すいません……」

棺野の声がどんどんちっちゃくなる。胸の前で持ったボールに額をくっつけるほど俯いて上目遣いにわたしの顔色を窺ってくる。「ま、まずい話題だしてもた？」とあやのが顔を引きつらせた。

「なあ、謝って欲しいんやないの。なんで言わんかったのって訊《き》いてるの。まさかあんた、わたしに遠慮したんやないやろな？」

女子も六月と八月に公式戦があったが、わたしはスタメンどころかベンチ入りもできなかった。女子部は部員数三十人の大所帯で、二、三年の先輩でベンチメンバーを十分まかなえるから一年がベンチ入りできなくても当然ではある。けれど——八月の大会で一年から一人、別の中学出身の子がベンチメンバーに選ばれたことが、わたしの自尊心をいたく傷つけた。中学時代に二度の北信越大会出場経験があり、ルーキーの筆頭として入部したのはわたしのほうだったはずだ。

ピー、とマネージャーの先輩が笛を吹いた。パス練の次はスパイク練だ。部員たちが二手に分かれてコートの両エンドに散る。

「あー移動せんと。のぉ、ドラキー、荊ちゃーん」

取りなすようにあやのが言い、わたしの腕に腕を絡めて棺野の背中を押した。棺野が露骨にほっと息を抜いたのが気に障《さわ》ったが、笛が鳴る前にパス練の手がとまっていたわたしたちの組を先輩が睨んでいたので駆け足で列の最後についた。

列の先頭の者から一人ずつセッターにボールをパスしてトスをあげてもらい、走り込んでスパイクを打つ。自分の順番が一度終わったあと、再び列の後ろに戻りながらわたしは次にスパイクを打つ棺野の姿を凝視していた。

すごく跳ぶわけではないし、すごく威力があるわけでもない。ただ、あらためて観察していてわかった。ぜんぜん全力でやってない。トスが棺野には低くて思い切りスウィングできないのだ。公式戦にでて男子の高さでプレーできるくらいなのだからやろうと思えばもっと高く跳べるはずだ。

男女のネットの高さの差は十九センチ――次にあやのが打つのを見ながら、今あるネットの上にさらに十九センチのネットが張られているところを想像する。夏休み前より質量が増えたお尻がゆさっと揺れてあやのの身体を下方に引っ張る。わたしの想像の中であやののスパイクは完全にネットに遮《さえぎ》られた。

3. GIRL'S MIND

清陰高校は七符駅前の商店街から徒歩で二十分、山裾の斜面にあるものだから、校舎やその他設備間の高低差が激しい。校舎の背後の山を均《なら》して第一グラウンドと、もうすこし狭い第二グラウンドが段々畑のように配されており、屋外コートはその二つのグラウンドの脇を通る坂道の上にある。この坂道が約百メートルあり、坂道ダッシュの絶好のコースになっているのだった。

創立来の何千人もの運動部員の汗と呪詛《じゅそ》と嘔吐《おうと》物を吸収して堅く踏み固められた土の道は九月の炎天に晒《さら》されてからからに渇いていた。今月下旬にある春高《はるこう》バレー県予選を間近に控えてレギュラーメンバーはゲーム中心の仕あげの練習に入っていて、その間わたしたち一年には基礎体力作りが課せられる。ベンチ入りしない二年の先輩たちがこれを仕切るのだが、この二年というのが三年の主将たちよりも遥《はる》かに厳しい。

「あやの！　休んでいいって誰か言ったけ!?　立って走れっちゅーんじゃ！」

坂の途中で座り込んだあやのに先輩の怒声が飛ぶ。どうにか腰をあげ、ふらふらと蛇行しながらわたしたちがいる場所まで上ってきたところであやのは「うぷ」と口を押さえて再び座り込んだ。あやのに休む間を与えず「全員揃ったらすぐ下るー！」と叱咤《しった》が飛んでくる。わたしたちは文句を言う元気もなくただ疲れ切った奴隷みたいな顔をぶら下げて坂を下りだす。喘《あえ》ぎながら立ちあがったあやのは半泣きだ。ああ、あれは吐くかも……。見ていたらこっちが吐き気をもよおしそうなのでわたしはあやのを振り返らないようにした。

手を差し伸べようにも今日はわたしも余裕がない。体力的にはたぶんあやのに劣らずへばっていたが、プライドで座り込むのを拒否しているだけだった。気持ち悪い。腰が重い。ときどき目の前がふっと赤暗くなる。これ……来てるんじゃないかな。まだ四日くらい先のはずだったから油断してた。一度その考えに取り憑《つ》かれると下着の中が気になってしょうがない。あと何本上らなきゃいけない？　部活が終わるまで待てる？　それからトイレに駆け込んで、本当に来てたらどうする？

……駄目だ。言おう。

「先輩……」

わたしにしては恐ろしくもそもそした小声で先輩に話しかけた。他の子たちだってときどき申しでているのを見るから恥ずかしいことではないはずなのに、それを切りだすためにわたしは最大限の精神力を振り絞らねばならなかった。


言ってみたら存外《ぞんがい》にあっさり一時離脱を許可された。自分で思った以上にわたしは具合が悪そうに見えていたらしい。あやのみたいに弱音を吐いたことなど一度もなかったわたしが真っ青な顔で申しでたものだから逆に先輩を慌てさせたくらいだった。

女子にだったら誰にでもある月のものがわたしは異様に恥ずかしくて、女子しかいない場所であっても話題にするのが憚《はばか》られる。わたしみたいな男女《おとこおんな》が重い生理痛に悩まされてるなんて我ながら似合わないし、人に知られたら引かれるような気がして。

〃荊ちゃんは長いのは似合わんなあ〃——無邪気な笑顔でわたしのキャラを決定づけた、あの子をがっかりさせるような気がして。生理痛で寝込むなんていうのは華奢で小さくて儚《はかな》げな子だからこそ絵になるんだろう。

背筋を伸ばして大股で歩くことをモットーとするわたしが微妙に前かがみになり、歩幅も自然と狭くなる。誰にも会いませんようにと祈りながら部室棟に急いだ。部活は抜けられたが実はピンチは去っていない。まだ来ないと思っていたからポーチを持ってきていないことを思いだしたのだ。あやののリュックを勝手に漁《あさ》ったらまずいよね……今から戻って訊くのも嫌だ……どうしようどうしよう……。

部室棟の前の水飲み場で数人の男子が休憩していた。くそ、間が悪い……。前傾していた背筋を伸ばし、何気ない足取りで彼らの背後を通り過ぎる。腰にかかる重力を普段の十倍くらいに感じながら結局また前かがみになって外階段を上りはじめたとき、

「末森莉さーん。今日もパンツ見してくださーい」

下から冷やかす声が聞こえ、とっさに手でお尻を押さえた。バカっぽい笑いを浮かべた男子が四、五人、互いにネックロックをかましあうみたいな変な塊《かたまり》になって階段の隙間からこっちを見あげている。先週あやのにパンツ見せろと言ったバカと同じ連中だったか。

二階に駆けあがって部室に逃げ込もうとしたのか、敵に背を向けるなど言語道断！　駆けおりて中坊くささが抜けないバカ男子どもに天誅《てんちゅう》を下してやろうとしたのか——頭がわかってなかったから身体が迷って、右足と左足が変なふうにねじれた結果段差を踏みはずした。大股を開いて片足を踏み板の隙間に突っ込む恰好になり、腿《もも》の内側をしたたか打った。末森莉ともあろう者があり得ない鈍くささ！

「うほっ、末森だせぇ」

と笑ったものの男子たちもさすがにちょっとうろたえる。痛みよりも羞恥《しゅうち》のほうが耐えがたくて目に涙が滲《にじ》んだ。生理が来てる日に男子の頭上で大股広げる醜態《しゅうたい》に比べたら打撲の痛みなんてなにほどのこともない。

と、背後から誰かに二の腕を摑《つか》まれて引っ張り起こされた。

「……大丈夫け？　荊ちゃん」

もそっとした薄暗い声が降ってきた。半ば宙吊《ちゅうづ》りになったまま首を巡らせると最初に目に入ったのは紅い唇と細い顎で、やけに近かったから慌てて顔を引いた。

スポーツタオルをほっかむりにした棺野が心配そうな顔で見おろしていた。

「さ、触らんといてっ」

思わずわたしは棺野を突き飛ばして階段の手すりに取りすがった。やり場を失った手を気まずそうに引っ込めて棺野が「すいません……」と例のごとく謝った。助け起こしてもらったのを拒絶したみたいになってしまったけど、単に今は棺野に身体を触られたくないだけで……。手すりの下からまだバカ男子たちが見あげていたのでずきずきする内腿をくっつけた。

「あ、ほうか……荊ちゃん」

と、棺野がなにかに気づいた顔をするなり、わたしを奥に押しやって前にでた。庇《ひさし》の陰に隠れていた全身が日向《ひなた》に晒され、わたしが「あっ」って声をあげかけたとき、

ガンッ‼

金属質の轟音《ごうおん》が鼓膜を貫いた。心臓が縮みあがり、口からでかけた声も目に滲んだ涙も引っ込んだ。

棺野が手すりを蹴りつけたのだ。タオルが舞い落ちて蒼白い顔が露《あら》わになった。

きぃーん……と金属の震えが細く尾を引く中、

「すいませんけど、あんまりからかわんといてください」

階下で塊になったまま硬直している男子たちに向かって直前の暴挙はなんだったのかというくらいおとなしい、控えめな声で言って、たぶん怒声を予期して身構えたのであろう男子たちをぽかんとさせた。

「荊ちゃん、ちょお来て」

何事もなかったみたいに庇の陰にまたすごすごと入り込み、わたしに声をかけて階段を上りだす。わたしは唖然《あぜん》として立ち尽くしていたが、「ちょお」と棺野が後ろ手で招くので、お尻を気にしてカニ足で階段の端っこを上ってあとに続いた。手前から二番目の女バレの部室の前を棺野は素通りし、ただでさえ幅が狭いのに各部室から溢《あふ》れた荷物で圧迫された外通路を器用に抜けていく。

二階の一番奥、出入りが面倒くさい場所に追いやられているのが男バレの部室だ。勝手なイメージなのだけどドアの隙間から負け組オーラが漏れだしている。

「今誰もえんで、どうぞ。ストップウォッチ忘れてもて取りに来たとこなんやけど」

と棺野がドアをあけて中に入っていった。どうぞと言われてほんならお邪魔しますと男子の部室に抵抗なく足を踏み入れられるはずもない。戸口からおそるおそる中を覗いた途端、なんとも言えない汗臭さにあてられた。嗅《か》ぎ慣れた女子の部室の匂いとはぜんぜん違う。制汗スプレーとかの人工的な匂いが混じっていない、剝《む》きだしの汗の臭い。お世辞にも整理整頓が行き届いているとは言えず備品やら個人の荷物やらゴミクズやらが転がっているが、女バレの部室よりもがらんとして見えるのは部員数が三倍も違うからだろうか。あるいは単に女子のほうが個人の荷物が多いのかも。

棺野がロッカーの一つの扉をあけてごそごそし、見つけたなにかをこっちに突きだした。短い辺が十センチ、長い辺が二十センチくらいの直方体で、色つきのビニール袋でぐるぐるに包まれている。その形とサイズと厳重な梱包《こんぽう》、袋に印刷されたドラッグストアのロゴ。女子であればすぐピンと来るだろうが——なんでそれが棺野のロッカーからでてくる⁉

「はよ受け取って」

ロッカーに半ば頭を突っ込んで棺野がくぐもった声で言った。自分の棺桶《かんおけ》に収まって安心する吸血鬼を彷彿《ほうふつ》とさせる、妙に馴染《なじ》む画である。

「あとできたらそこのドア閉めてください。人に見られたら変質者扱いされるんで……」

「いや、十分変質者やぞ……？」

それの重みに耐えかねたっぽい棺野が下手《したて》で投げてよこしたのでわたしは「ぎゃ」と叫びつつ飛んできたものを受けとめるしかなかった。うーむ間違いない、この感触と軽さ。たぶん多い日用の二十四個入りくらい。

「持ってたくて持ってたんやないです。前に買い行かされて……たぶんなんか賭けてたんやろけど、ほやけど帰ってきたら命令した奴らが三年の先輩に怒られてたんでそれっきりになってもて、これどーしたらいいんかと……持ってるの誰かに見られるわけにもいかんし、どっかに捨てるわけにもいかんし、家に持って帰ったらおふくろ卒倒させそうやし」

「あんたそんなことまでやらされてたんか……。いつの話？　なんでわたしに言わんかったの？　さすがに注意してやめさせたわ」

「六月、やったかな……荊ちゃんがこーゆう話苦手なん知ってるし、言っても困らせるって思って……」六月ということは三ヶ月も棺野のロッカーに入っていたのかこれは。

「ほやでそのう、それ、使ってください」

ロッカーの陰から三分の一くらい顔をだして棺野が言った。ああこれで助かったたって、わたしは一瞬普通に感謝しかけたのだが――。

その申し出が意味するところに遅れて思い至り、途端かあっと顔が熱くなった。

「ちょ、な、なんでわかっ……や、やっぱ変質っ……」

「変質者と違います。遺憾です。見てたらわりとわかるやろ？　おれ中学んときから女子ん中でやってるんやし……。女子は身体きつそうやったり顔色悪《わる》なったりするやないですか」

「いやわからんって、女子どうしでもっ」

「え？　ほーゆうもんか？　ほやけど今日アレでーとか持ってるー？とか、おれいるとこでもあいつらよう喋ってるし……。荊ちゃんはいつも二十日から二十三日くらいがきつそうやったよね……ってあれ、今日まだ十六日」

「ちょお待て黙れや、なんでわたしのっ……を、あんたに把握されて……」

　肝心な単語が喉を通らずわたしは真っ赤になって顎をかくかくさせる。わたしにとっては口にするのもおぞましい忌《い》み語で、なりたくもない穢《けが》れた生き物にわたしを強制的に変えてしまうもので。

「それはおれ、荊ちゃんのことはずっと見てたし……」

「ってストーカーかっ、キモッ」

「ち、違っ、キモいとか言わんといて」

　思わず罵《ののし》ったら棺野は傷ついた顔をして慌てて言い足した。

「おれは荊ちゃんのファンやったで、ずっと見てたっちゅうんはそういう……あっなんかこれがストーカーっぽいけど、違っ……あのっ……荊ちゃんがいつも助けてくれたでおれは女子部でやってこれて、荊ちゃんがえんかったら絶対とっくに辞めてて、ガッコかって辞めてたかもしれんくて……親はおれが高校行けただけで感激してたくらいやのに、またバレー部入ったことに驚いてて、それもぜんぶ荊ちゃんのおかげなんです。バレー楽しいです。バレーの面白さ教えてくれたんも荊ちゃんで……荊ちゃんはバレー一番上手くて、いつもかっこよくて、堂々としてて、おれなんかがぜんぜん肩を並べられんとこにいた人で、ほやけど最近おれ、欲がでてきて、あの……」

またロッカーの陰に引っ込みながら視線をせわしく左右に揺らして、呼吸困難に陥りかけてるんじゃないかってくらい何度も呟き込んだりして、いやなんていうか知らない人が見たら挙動は本当に変質者っぽいのだが——普段あんまり喋らない棺野が、身体中に散らばっている言葉の欠片《かけら》を掻《か》き集めるようにして懸命に喋っている。つい気圧《けお》されてわたしは口を差し挟むことができなかった。呼吸を落ち着け、意を決したように正面を向いたときには眼球のふらつきは収まって、わたしの顔に視線が固定される。今にもロッカーにすっぽり収まりそうに見えていた身体をすくと伸ばして直立すると、ああ、とっくに背を抜かされていたんだと気づかされる。

「あの、おれ、荊ちゃんが好きです」

わたしの目を見て言った直後には、どかんと顔から火を噴いて「うわ」とか言って両手で顔を覆った。

棺野が一人で勝手にドツボに嵌《は》まっている一方で、わたしは……。

不思議なほどに、わたしは冷静だった。生まれて初めて男の子に告白されて舞いあがるどころではなかった。

そういうことかと……聞きながらなにかが引っかかる気がしていたら、過去形だったのだ、全部が。つまり棺野の中でわたしはもう、かっこよくて堂々としててバレーが一番上手い存在ではないということだ。今のわたしは〝肩を並べられるもの〟になったということだ。いい加減自分でも気づいてはいたんだけれど、もうすこし時間をかけて自分の中で受け入れていくはずだったものを棺野の口から言い渡されたことが、断頭台で首を斬り落とされたみたいなショックで、
つう、と内腿を生あったかいものが滑り落ちる感触が、最終的にわたしを打ちのめした。

「荊ちゃん……？」

棺野がおそるおそる顔をあげた。

棺野にとって至高の存在であったわたしは、今では望めば手に入れられる程度のものになり下がったのだ。どんなに上を目指したってわたしは今より高く跳べるようにはならないのに、棺野はまさしく今このときも、より高みへと身軽に駆けあがり続けている。

胸や尻に余計な脂肪をくっつけるかわりに、しなやかで強靭《きょうじん》な筋肉を一層一層まとっ

ていく。

もう、憶えてないんだろうな……。

〝荊ちゃんは長いのは似合わんなあ。短こしてるほうがかっこいいわ〟

わたしにそう言ったこと。クラスで一番華奢で小さかった子。女子であることを忌んでかっこよくあれと、わたしに呪縛の魔法をかけておいて、そのわたしの庇護《ひご》下からいつの間にか独立して、そのうえ告白してくるなんて、まるでわたしが道化《どうけ》ではないか。

ここのところ棺野を見るたびに感じていた身体の中のざわざわの正体は、嫉妬《しっと》であり憎悪だったのだと、今ははっきりわかった。

「……悪いけど、ないわ」

棺野が一瞬目をみはってから、落胆したように肩を落とした。

「わたしはあんたに妬《ねた》みしか感じんのやもん。あんたはたまたま男に生まれたっていう幸運だけで、わたしが欲しくてたまらんくて、ほやけど絶対手に入れられんものを、たいした努力もせんとかっ攫《さら》ってくんや。背、ずいぶん伸びたよね……。知ってる？　わたし一年前から一センチも伸びてえんの。ジャンプ力かって落ちてきてる。あやのみたいにわたしもどんどん跳べんくなってくんやわ。そんなん、嫌やのに……あやのになんかなりたない。あんな重くてみっともない、低いとこをどたどたしてるだけの……」

「荊ちゃっ……、あかん」

あやのの名前をだしたとき、棺野が急に非難じみた声で遮った。いよいよ上から諭すような物言いをするのかと癇《かん》に障った。わたしは今とても気がさされている。はっとして振り返ると果たして、棺野の視線がわたしの肩越しに外通路に向けられていることに気づいた。タオルとスポーツドリンクのボトルを手に提げて目を丸くしている。あやのが立っていた。

今わたし、なんて言った——？　自分の舌が紡いだ言葉に慄然《りつぜん》とした。

「あっ、えーとな、荊ちゃんが戻ってこんで様子見に来たんやけど、や、まあサボりたかったんが半分やったりもするんやけど」びっくり顔をしたままあやのが急に早口で喋りだし、あとから思いだしたように「……あはっ」と作り笑いを貼りつけた。「あ、は……ほ、ほやね、こんなんやでわたしは駄目なんやね。すぐ太ってまうし、荊ちゃんに軽蔑《けいべつ》されるんも当たり前やし、き、気にせんといて……」

白っぽい笑いを貼りつけた顔をふいに伏せ、小さな声になって、

「も、もう戻らんと怒られてまうで……先行ってる……」

ときびすを返した。脇目もふらずに女バレの部室の前を走り抜け、わたしがたった今貶《おとし》めた大きなお尻を揺らして階段の下に消えていく。踏み板を蹴る甲高い足音が遠ざかっていく。

「荊ちゃん、追っかけんと」

棺野がわたしの腕を摑んだ。硬直していたわたしはびくりと身を跳ねさせたが、足は動かない。ここから一歩でも動いたら、血が……。

「だ、大丈夫や、大丈夫、どうせすぐ部活で会うし、話せばわかってもらえるって……。別にあやののことを言ったんと違うし、女子一般の……」

もちろん嘘だった。女子一般のことなどではない。僻《ひが》み根性の果ての八つ当たりでしかないことを棺野に向かって喋りたてながら、わたしは侮蔑を込めてたしかにあやのの姿を思い浮かべていたのだ。

＊

わたしが練習に戻ったとき、先に戻ったはずのあやのの姿は見当たらなかった。「荊、大丈夫やった？」先輩に気遣われるとわたしは「ぜんぜん平気でした。すいませんでした」とつい見栄《みえ》を張り、あやののことが気になりつつも残りのメニューを気合いでみんなと同じようにこなした。

練習時間が終わり、残暑の太陽に炙《あぶ》られていた外コートも日陰に入ってようやく若干過ごしやすい風が吹いてきた頃、あやのが戻ってきた。

棺野が一緒だった。まさかあやのを捜しに行ってたのか……？　棺野になにか囁かれ、あやのは気まずそうに肩をすぼめつつフェンスの内側に入ってきた。あやのを送りだしただけで棺野自身は中に入らずフェンスの外で見守っている。スポーツタオルをまたすっぽりとほっかむりにしていた。

あやのはまず主将のところへ走っていって小言を食らってから、ネットを片づけているわたしたちに合流した。

「ど、どこ行ってたんや？　あやの……」

何事もなかったような顔を繕《つくろ》って声をかけたがあやのはわたしと目をあわせなかった。今までどこにいたんだろう、鼻の頭が陽《ひ》に焼けて赤らんでいる。「あやのーあやのーどゆこと？」「なんでドラキーと一緒に来たんや？」興味津々《しんしん》のひそひそ声がすぐにあやのを取り囲み、わたしは輪から締めだされてしまった。

謝ろう謝ろう謝ろう謝ろう……念仏みたいに心の中で唱えるだけで行動に繋《つな》がらない。わたしはこんなにもぐずぐずした意気地なしだっただろうか。結局肝心な場面でわたしは恰好よくもないし堂々ともしていない。

がしゃんっ、とフェンスが激しく揺れる音が響いた。

フェンスの内側にいた女バレ一同が首を竦めつつ振り返り、途端ざわっとどよめいた。棺野が片手でフェンスを摑んでぶら下がるような恰好でしゃがみ込んでいた。

「棺野⁉」

とっさにわたしはフェンスに向かって駆けだした。途中で思いなおして進路を九〇度変え、扉から飛びだしてフェンスの外にまわった。駆け寄って膝《ひざ》をつき、棺野の肩に触れると、熱い──⁉　フェンスに引っかかって残っていた棺野の五指が滑り落ちて地面を叩《たた》いた。「棺っ……」肩を押して顔を覗き込もうとしたとき、かぶっていたタオルがほどけて顔が露わになった。

遅れてフェンスの内側に集まってきた他の部員たちが「ひっ」と悲鳴をあげた。鼻筋から両の頰の広範にわたって火膨れを起こしたみたいに真っ赤に火照《ほて》り、隙間がないほどの発疹《ほっしん》が浮かんでいる。あやののちょっとした陽焼けの比ではない。前列にいる部員たちが後ろからの圧力でフェンスに押しつけられ「お、押すのやめてや」と露骨に退こうとする。

「……ません……見んといてくださいっ……」

棺野の口からかぼそい声が漏れ聞こえた。手探りでタオルを摑んで顔に押しつけ、背中を丸めてうずくまる。長袖から覗く手の甲にも発疹が現れている。荊ちゃん、という小さな声が耳に入り、わたしは知らず知らず引いていた顔をはっとして近づけた。

「……なんかおれ、調子乗ってすいませんでした……わかったやろ、おれのほうがぜんぜんみっともないで、荊ちゃんと対等になんかぜんぜんなってえんで、ほやで頼むであんな……あんなつまらんこと言わんといて……おれのせいで友だちなくすようなこと言わんといて……」

　さすがにからかう者はおらず、けれどどうしたらいいのかもわからず、わたしも他の部員たちもただ困って固まっているだけだった。健康上の事情があると聞かされてはいてもその実情をリアルに想像できていたわけではなく、たぶんみんな別に言うほどたいしたことではないんだろうと思っていて、だから軽い気持ちで棺野をいじることだってできていたのだろう。

　唯一、動いたのがあやのだった。フェンスをまわってこちら側に駆けだしてくるなりわたしを突き飛ばして場所をかわり、広げたバスタオルを棺野の頭にかぶせた。

「ごめんドラキー、わたしと一緒にずっといてくれてたでやね、ごめんの、ありがとうっ……。どうすればいいの？　校舎ん中入ったほうがいいんか？　歩ける？　先輩っ、先生呼んでくださいっ」

　そのときのあやのは鈍重《どんじゅう》なんかではなかった。誰よりも機敏で勇ましかった。その声で金縛りを解かれたようにみんな動きを取り戻した。顧問を呼ぶために三年生が携帯電話を取りに走る。こちら側にまわってきてあやのに手を貸す者やクーラーボックスを担いで来る者も。

　そんな中、わたし一人がなんの有効な行動も起こすことができず、尻もちをついて呆《ぼう》然《ぜん》としているだけだった。

4. BEAUTIFUL WORLD

「末森さん」

と呼ばれて驚いた。控えめな、けれどむやみに卑屈なわけでもない、落ち着きのある声だった。

三メートルくらいの距離をあけたところに棺野が立っていた。わたしはセンターライン際でネットを持っていて、棺野の足はアタックラインの上にあるから実際きっかり三メートルだ。並んで立って比べるまでもなく今では明確な身長差がある。六、七センチは差がついたかな。十センチ……は行ってないと思うけどなあ……。頭の中で棺野の隣に自分を並べて考えていると、棺野は少々居心地が悪そうにもぞりとしたものの、一年の頃のようにびくついて意味もなく謝ってきたりはしなかった。

末森さん。呼ばれた声を反芻《はんすう》する。去年の九月を最後に棺野がわたしを「荊ちゃん」と呼んだことはなかった。そして「末森さん」は今初めて呼ばれた気がする——その間九ヶ月、わたしたちは互いを呼びあったことがなかったのだ。空白の九ヶ月間のどの時点で棺野の中のわたしは「荊ちゃん」から「末森さん」に変わったのだろう。

「球技大会のこと、うちの部員で誰がどの競技でるかってリストもらってきたで、末森さんに相談して係の割り振り決めろって先輩に言われてるんですけど……」

同学年に対しても敬語が混じる喋り方は変わらないなあと、懐かしいようなせつないような気持ちになりつつ、

「いいよ。ほやったら今日の帰りに」

棺野があけた三メートルのぶんだけわたしも若干よそよそしく、けれど素っ気なくもならないよう、努めて自然な態度で返した。よろしくお願いしますと棺野は長い背中を曲げてぺこりと頭を下げた。

六月だというのに相変わらず季節感のない長Tとロンパンの後ろ姿が離れていく。棺野は今も週の半分は女子部の練習に参加しているが、外コートでの発作を目《ま》の当たりにして以来棺野をからかう部員はいなくなった。それどころか棺野くんは身体がたいへんなのに頑張ってたんだねえっていうような空気になって、みんな変に棺野に優しくなった。今も棺野はポールの脇でネットの紐《ひも》を引っ張っている女子のところへ駆けていって「やります」と手をだそうとしたけど「いいよー。あきとんは座っててていいよー」とやんわり断られて手持ちぶさたにしている。あきとんというのは棺野の新しいあだ名だ。ドラキーのほうはそういえば最近とんと聞かない。

あれはあれでわたしから見たら相当気詰まりなんじゃないかと思うんだけど、とにかく棺野のナイトという（不本意な）わたしの役目も必要なくなったわけだ。

体育館の入り口でこちらを見ている女子がいるのに気づいた。ドリンクのボトルが並んだ籠《かご》を提げたあやのだった。

「……荊ちゃんとあきとんが話してるとこ、ひさしぶりに見た気ぃするわ」

「あー、ただの事務連絡やって、球技大会の。わたし今年男子のヘルプやで」

睨まれていたような気がしたのでつい言い訳してしまう。言い訳でもなんでもなくて本当に事務連絡以上のことはないのだが。「気ぃ遣わんでいいのに」とあやのは唇を尖《とが》らせてそっぽを向いた。

「いややな、気ぃなんか遣ってえんよー……」

とはいえあやのに対するわたしの態度にはやっぱりどうも罪悪感が滲んでいる。あやのは棺野のことが好きなのかもしれない……去年の一件のときのあやのの行動を見ればいくら色恋事に疎《うと》いわたしでも察する。告白したのかな……あれ以来あやのともめっきり会話が減っていたからその後のことは知らない。好きな男子の前でその子が気にしている身体のことを貶めるなんて、よくもまあわたしは最低な真似をしたものだ。

「わたし、瘦《や》せたん荊ちゃんのおかげやし、今はほんとに、なんも思ってえんでね……」

そっぽを向いたままあやのがぽつりと、すこし柔らかい声になって言った。

そう、ぽっちゃりさんだったあやのはあれからだいぶ瘦せ、もともと豊かだったバストとヒップを生かして今ではメリハリの利いたプロポーションを獲得している。わたしの言葉がきっかけになってダイエットを決行したらしいのだ。あやのの底に眠っていた意外な根性に驚かされた。それだけではない。身体が軽くなったせいかプレーにもキレがでて、二年になってからはベンチメンバーなのだ。上背がないのでスパイク力は劣るものの丁寧な守備を評価されている。わたしがあれほど憎んで、強いバレー選手には不要だと断じたものを、あやのは捨てずに強くなった。

片やわたしは——球技大会で男子部との調整役に派遣されたことからわかるとおり、ベンチメンバーに選ばれないままくすぶっている。中学時代は頑張れば頑張っただけの結果が自然とついてきたのに、高校生になってからは自分に裏切られ続けている。

バレーボールが好きだった。誰よりも上手くなりたかった。そのための足枷《あしかせ》になるものはいっさい斬り捨ててかまわないと思っていた。結果としてわたしはあやのとの友情も、棺野からの崇敬も、そしてわたしのすべてだったはずのバレーのエースとしての矜持《きょうじ》をも失うことになった。

「ほやの……今はわたしが一番みっともない、役に立たんもんになってもたわ」

力の抜けた自嘲《じちょう》を漏らす。「荊ちゃん……」あやのがこちらに顔を向けた。鼻の頭に皺《しわ》を寄せ、泣きそうな顔になっていた。

「荊ちゃん、部活辞めたりせんよね……?」

苦笑を返しただけでわたしは答えなかった。

実は退部届をもらってあった。今回の調整役のことが駄目押しになって覚悟が決まった。球技大会の仕事が終わったら名前を書いて提出して、それでバレーからは離れるつもりだった。本当に本気で辞めるつもりだったのだ。

——一昨日《おととい》までは。

外コートで男子の練習を見たのが、一昨日のこと——。


蒼穹《そうきゆう》に向かって高くあがったボールが午後の陽の光に輝いて目を焼いた。アタックラインの後ろで踏み切って弾丸のごとく突っ込んできたのはあの一年生、黒羽祐仁だ。

あれがバックアタック？　信じられない飛距離。前衛からのアタックと変わらないほどネットの近くまで身体全部でもって飛び込んでくる。空中で身体を弓なりに反らした姿が写真のように静止して見える。それほどの滞空時間。エネルギーを溜め込んだバネが一気に戻るみたいに腕がしなってボールを打ち抜く。

でも、次の瞬間土埃があがったのは黒羽の側のコートだ。身体を沈めて着地しながら黒羽が「だーっ」って悔しそうな声をだした。コートサイドで冷静に見ていたはずのわたしですら一瞬ボールの軌跡を見失ったが、コミットブロックに跳んでいた青木先輩の長い腕が覆いかぶさって弾丸スパイクを撃ち落としたのだ。

凄い……凄い。かっこいい。ひさしく忘れていた心臓の高鳴りを抑えられなかった。一瞬一瞬のプレーが大胆で、目で追いきれないほど速い。ボールが視野から消えたと思ったら、破裂するような豪快な音とともに土埃が地を跳ねる。光の粒をはじけさせながら繰り広げられる空中戦のまばゆさにわたしは何度も目を細めた。

わたしにとってこの地球でもっとも美しいスポーツが、そこにはあって。

せつないほどに憧れてやまなかった世界があって。

自業自得でいろんなものを失ってから初めて、わたしはやっぱりバレーが好きで、やめたくないって思った。たぶん今、この競技と出会って以来いちばん純粋な気持ちで言える。

わたしは、バレーボールが好きだ。

＊

七符から紋代町まで、たった二輌《りよう》で編成されるローカル線で二十五分。窓を背にしたベンチシートが各ドアの両脇にだけ配置され、残りは二人がけの座席が向かいあったボックスシート。わたしと棺野はその一つを二人で占領し、座席に浅く腰かけて膝をつきあわせていた。

「……第一試合と第二試合の係はこれでなんとかなるとして、問題は第三試合以降やな。Cチームの試合のときは部員ががっつりコートに入ってまうし、バスケとフットサルにでてる部員にすぐ戻ってきてもらわんと……」

「これ、どっかの時間帯でぜったい係足りんくなると思うんですけど」

「ほやで足りるように試合のほうを調整するんやろ。第四試合のEチーム対Fチームをこっちに移して、第六試合のDチーム対Fチームを……」

「Fチームは小田先輩いるとこやで、ほんでもうまくいかんのでは」

「あー、ほうかー」

ああでもないこうでもないと言いあいながら、膝の上で広げたノートに二人で両側から書き込みをする。矢印とか囲み線とか取り消し線とかやけくそ気味にぐしゃぐしゃってやった線とかが氾濫《はんらん》してノートは判読不能になりつつある。

男子バレー部の部員は現在わずか八人。その中から毎試合ごとに係員を四人送りだし、それ以外に各種目に選手として出場する者もいるわけなので、恐ろしく綿密に計算し尽くしたタイムスケジュールでもって八人をフル回転させねば男バレ部門をまわすことができない。昼休みなど論外、トイレ休憩の暇すら与えてやれないかも。ていうかフルで回転させても絶対どこかで破綻《はたん》するんじゃないかこれ。

しっちゃかめっちゃかになったノートを見おろして頭痛がしてきた。ああもう今すぐ窓をあけてこのノートを外に投げ捨てたい。

夜七時台の窓の外にはまだ薄い光が残っていた。そういえば夏至《げし》が近いから一年のうちで今が一番陽が長い季節だ。七符市、鈴無市《すずむし》の市街を過ぎ、暖色のけぶった光に包まれた田園風景の中を二輌編成の電車がとろくさい速度で進んでいく。五月に田植えが終わったところなので田んぼに植わっているのはまだ碧々《あおあお》とした苗ばかり。水鏡が遠くの山並みを茫洋《ぼうよう》と映している。

車輌がすこし大きく揺れるたび、広げたノートの下で棺野の膝頭と自分の膝頭が擦《こす》れあうのがくすぐったくて、足を引っ込めたい衝動に駆られるのだけど、そうしてしまうのもなんだかもったいないような気がするのだった。

「めんどくさい仕事押しつけられたなあ、お互い」

と愚痴を零《こぼ》しつつも、だから本当は仕事の話はまだ、当分終わらなくていい。けれど紋代町の駅はもう近い。普段は座れたら寝て帰るだけの二十五分の乗車時間の一分一秒を今日は妙に惜しく感じる。

背中を丸めてノートに目を落とすわたしの頭の上から棺野が同じノートを見おろしている。わたしは両足のつま先を立てていて、棺野は踵《かかと》を床につけていて、それで二人の膝の上でノートが水平に保たれているということは膝下の長さがそれだけ違うのだ。縦にばっかりにょきにょき伸びやがって。

ずいぶん差をつけられたなあとあらためて思うけれど、不思議なことに一年の頃のような妬みや憎しみや焦燥や、わたしの心をどうしようもなく醜いものにしていたあのぐちゃぐちゃな感情は今はもうわいてこない。わたしも一段階おとなになったのかなあ……というのとも違う気がして、どうも自分に戸惑っている。

「おれは別にめんどくさいとは思ってえんよ。楽しいです、今」

頭の上でぼそっとした声がした。楽しい、と言われて心臓が跳ねたけど、

「おれ、半分しか男子のほうで一緒にやれんし、準備も片づけもあんまり手伝えんで……。こーゆう仕事で役に立てると、おれもみんなと部活やってるんやなって気がして嬉しい。先輩たちはほーゆうことはなんも言わんけど、たぶんそれわかってておれに仕事まわしてくれたんやと思う」

「やっぱ男子部のほうが居心地いいんやろな？」

嫌味で言ったわけではないのだがそう聞こえただろうか、棺野がびくりとして顔を引きつらせた。わたしの顔色を窺う癖はまだ直っていないようだ。

「男子部の先輩たち、いい人そうやったもんね。女子部はへんてこな空気になってもてるし、ほやしあんた、いつもあんまり思いっきりやってえんやろ。紅白戦でも手加減してるの、わかってるよ」

「それは……そんなん、おれが思いっきりやったら女子吹っ飛ばしてまうし」

以前だったらへりくだって即座に「すいません」と謝ったかもしれないものを、口をちょっと尖らせながらはっきり肯定した。棺野の中になにか、自信の芯のようなものが根づいたみたいで、頼もしく感じると同時に何故か、どこか寂しい。

わたしが気づくよりも前から棺野自身、自分が女子の体力を抜きはじめて、女子の中で浮きつつあることを自覚していたんだろう。そしてそれは以前わたしが責めたてたような、〝男に生まれたという幸運だけでたいした努力もせず〟手に入ったものでは決してない。

トレーニングウエア姿の棺野を町内で見かけたのは、去年の秋口の夜だった。ジョギングしながら中学の近くの公園に入っていき、鉄棒とかシーソーとかを使って筋トレしているところを、わたしはつい気配を潜めて最後まで見届けてしまった。

昼間のようにフードをすっぽりかぶって太陽の脅威に怯えていることもなく、夜の棺野はなんだかとても普通にスポーツ少年っぽかった。体質のハンデを抱えているからこそ人一倍努力してきた棺野の一面をわたしはそのとき知ったのだった。いや、とっくに知っていたはずなのだ。理不尽なからかいの的にされて、わざわざ嫌な思いをしてまで女子部にとどまることなんてなかったのに、つらいだけの基礎練にも棺野は誰よりひたむきに取り組んだし、決して部活を休まなかった。

わたしと同じで、バレーが心から好きだから——バレーの面白さを棺野に教えたのはわたしだって、言ってくれた。そのことだけはわたしの誇りにしてもいいのかもしれない。

夜の自主練は今も続けているのだろう。腕や首にまたうっすらとした層がついて力強くなったように見える。シャーペンを握った指の爪は深めに切り揃えられている。指先はすこし荒れているけれど、屋内競技だから爪の中が土汚れで黒ずんでいたりはしない。節々が出っ張っているのは突き指の繰り返しによるもの。長い指はボールを捉えて正確に捌《さば》き、大きい手のひらは力強くスパイクを叩き込むためのもの。男子のバレーボール選手に特徴的な、わたしが綺麗《きれい》だと思う手。

わたしの後ろにくっついてまわって苛立ちや焦りを掻きたてるばかりの〝影〟から棺野が独立して、冷静になれる距離と時間をおいてから、あらためてこうして接して、わたしはなんだか今ちょっと、どきどきしている。

今さらなにを都合のいいことをって、わかってる。自分から突き放したものをあとで欲しくなったから取り戻そうなんて、そんな勝手がまかりとおるわけがない。自分がしたことの責任は負わなきゃいけない。

紋代町駅が近づいてきた。ノートを閉じて鞄にしまい、

「あーあ、終わらんかったなあ。明日にしよっせ」

触れあった膝頭の感触を内心で惜しんだけれど、さっさと立ちあがって鞄とエナメルバッグを一緒に担いだ。ワンマン運転だからもたもたしていたらわりと簡単に降り損ね

てしまう。

「……棺野？」

通路にでたところで訝《いぶか》しんで振り返った。棺野はまだ座席に尻をひっつけたまま立ちあがろうともしていなかった。

「おれ、次の駅まで乗ってくで、気にせんと行って。家まで送れんけど、気ぃつけて」

「はあ？　なんで？」

「えっと……その、……立てません……。膝の力抜けてもて……」

「えっ……なんやそれ、怪我《けが》とかしてたんけ？　送ってったげるよ？」

心配して顔を近づけると棺野は「ち、違います」と、パーカーのフードを引っ張りおろして窓のほうに顔を背けた。

「今日いば、末森さんに話しかけたとき、実はめっちゃ緊張してて……気力振り絞って話しかけて、ほしたら案外普通に友だちとして喋れる感じになってたんで、力抜けるくらいほっとしてもて……あっおれもうふられてるんはようわかってるで、それ以上のことは今はほんとにぜんぜん考えてえんので、ほやけどやっぱ部活でずっと喋れんかったんとかはきつかったんで……」

フードに隠れた白い顔をいつかみたいに赤く染めて棺野がもそもそした早口で話し、わたしが通路に立ち尽くす中、紋代町駅のホームが車窓にゆっくり滑り込んでくる。横に引っ張られる振動とともに景色が停まり、ぷしゅうとドアが開く音。利用客は多くはないけど、それでもちらほらとおりていく。ホームから新たに乗ってくる客はない。発車ベルがすぐに鳴りはじめ、「おりんと」顔を伏せたまま棺野が急《せ》かす。

行こうか行くまいか、つま先が一瞬迷ったけれど、結局わたしは荷物をまた座席に置いて棺野の前に座りなおした。

「ちょ、いば……末森さん？」

棺野が慌てた顔をあげた。

「ちょうどいいわ。打ちあわせまだぜんぜん終わらんし、このままやってこっせ」

「いや、ほやけど……」

「終点まで乗ってって折り返してくるんもちょっとおもろいし、いいんでないの」

棺野に異論を挟ませる隙を与えずノートを膝の上に広げる。棺野は承服しがたいようで唇の先をもにょもにょさせていたが、

「ありがとう……」

って、最終的には屈して力の抜けた声で言った。

棺野の中でももう線引きが終わっていたんだなとわかって、微妙に落胆した気もするけど、はっきり言ってもらえてよかった。わたしは棺野に赦《ゆる》されてはならないし、赦して欲しいとも思わない。きっとこれからも、一生この後悔を引きずって生きていくんだ。

ベルがやみ、電車が動きだす。ホームの景色が視界から零れていく。

誰にっていうわけじゃないけど……強《し》いて言うなら自分に、約束します。この電車をおりてそれぞれの家路につくときには、この気持ちにはすっぱりと蓋《ふた》をしよう。だから、あとすこしだけ。一生分の後悔を背負う覚悟はできているので、あと何十分かだけ……引き延ばしても、いいですか。

＊

「あのぅ、言いにくいんやけど……これ乗って終点まで行ってまうと紋代まで戻れる電車がもうなかったり……するんですが」

などと棺野が言いだしたのは、窓の外にすっかり夜の帳《とばり》がおりた頃であり。

「えっ、なんで先に言わんの⁉　どうするんや⁉」

「歩いて帰るとか。夜中までかかるけど。おれは夜は平気やしぜんぜんいいです。末森さん、疲れたらおんぶしますけど」

言いにくいと言ったわりに棺野はほんのり嬉しそうなしたり顔でそんなことをのたまって、わたしの覚悟をさっそくぐらつかせた。

第三話 ‖ 犬の目線とキリンの目線

1. FRESHERS

高校入学当初のクラス名簿で〝小田《おだ》〟は男子の上から二番目だった。教室の座席は仮に出席番号順で割り振られていたから、前から二番目の窓側から二列目だ。

だがこの席は障害物のせいで黒板がろくに見えなかった。椅子の座面からにゅるりと木が生えたような、という表現がしっくりくる、やけに長細い背中が目の前をすっかり塞《ふさ》いでいるのだ。普通に座っていて小田の目線の高さにそいつの肩胛骨《けんこうこつ》がある。

「うお」と小田は驚愕《きょうがく》してのけぞってから、自分の机に身を乗りだしてその長細い奴をつついた。「なあ。なあ」

「ん?」

長細い奴が長い背中をひねって椅子の背もたれに肘《ひじ》を乗せた。自分と同じ真新しいブレザーの袖がこの時点ですでに寸足らずで、手首がかなり覗《のぞ》いている。腕も長そうだな……身長とリーチを足したらどのあたりまで届くだろうかと小田はつい習性で想像を巡らせる。

「おまえでけぇなあ。このクラスで一番でけぇよな。何センチや？　中学でも一番でかかったやろ？　部活なにやってたんや？」

「部活？　なんもやってえんかったけど……」

勢い込んで質問をたたみかけると胡乱《うろん》げに身を引かれた。馬っぽい生き物を思わせる優しげな面立ちで、喉に少々こもるような性質の低い声とゆったりした喋《しゃべ》り方も相まって穏和な人柄が窺《うかが》えたが、

「えっ、そのタッパでか？　嘘《うそ》やろ？　もったないわ」

小田が目を丸くすると、なにか気分を害することを言ったらしく顔をしかめられた。

「でかかったらなんか運動部入ってるやろっちゅうんはそっちの偏見やろ。おれは別に運動好きやないし。ほういうこと言ってくる奴けっこういるけど、苛《いら》つくわ」

初対面から忌憚《きたん》なくきつい物言いをする奴だった。第一印象とのギャップに小田は鼻白《はなじろ》んだが、すぐに気を取りなおす。これからクラスメイトになるのだ。曖昧《あいまい》に流されるよりも嫌なことは嫌とはっきり言ってもらえたほうがずっといい。

「なあ、一緒にバレー部入らんか？　おれ中学でもずっとやってて、高校でもやろうと思ってる」

「バレー？　球技のほうの？」

少々の間があってから、

と、仄《ほの》かな嘲笑《ちょうしょう》をこめて言われた。小田はめげない。入学第一日目、期待に胸をはずませこそすれ自分の未来を疑う理由などまだなにもなかった。

「まあおれはたしかに今はちっさいけど、これから伸びるんやって。高校で三十センチ伸びた奴もいるっちゅうしな。ほやで三年になる頃にはおまえに追いついてると思うぞ」何故《なぜ》かこのときこの瞬間、あと二年したら自分も目の前のこいつくらいでかくなっていると信じて疑っていなかったのである。「ほんでガイチんたなスーパーエースになるんや」

「スーパーエース？　ってなんや、強そうやな」

その質問を待ってましたとばかりに小田は目を輝かせた。

「チームでいちばんカッコよくて、いちばん頼りにされるアタッカーのことや」

それから新担任が入ってきて雑談をやめさせるまで、中垣内祐一《なかがいちゆういち》がこの福井県出身で、どんなふうにすごい選手だったかを熱を込めて語った。長細い奴は特に感じ入って聞いている様子でもなかったが、しかしその日の放課後、さっそく男子バレーボール部に見学に行く小田についてきてくれた。

出席番号男子二番、小田伸一郎《しんいちろう》——の、一つ前、出席番号男子一番、青木操《あおきみさお》との、それが出会いだった。今からちょうど二年前である。

*

一、指定の掲示場所以外のビラの掲示ならびに配布の禁止
一、校内、校外を問わず通行の妨げとなる勧誘活動の禁止
一、金銭、物品、権利等の授受をともなう勧誘活動の禁止
一、威圧的、強制的と見られる勧誘活動、ならびに入部の強要の禁止

以上、例年四月上旬の新入生歓迎期間に生徒会から発布されるお達しだが、律儀に遵守している部はないに等しい。生徒会も実際になにか問題が起こらない限りは黙認の姿勢である。

そんなわけでこの季節、放課になった途端に廊下には人が溢《あふ》れて普通に歩くのが困難になるほどごった返す。教室からでてきた新入生に手当たり次第にビラを押しつける者、定期考査の過去問をつけるとか女子校との合同合宿があるとか甘い条件を提示して気を引こうとする者、フレンドリーな態度の裏に恐喝を滲《にじ》ませ新入生の肩を抱いて部室に連れ込もうとする者——。足もとでは大量のビラが踏み潰《つぶ》され、春の嵐で花弁がすべて散ったあとの桜並木道のごとく白く染まる。

廊下いっぱいに満ちる喧噪《けんそう》に小田はだいぶ辟易《へきえき》しつつ、エナメルバッグを胸の前に抱え込んで人ごみの中を進んでいた。生徒会もせめてもうすこし管理しろよと思うものの、肩の位置が微妙にあわない制服に身を包んだ新入生たちの初々しい顔を見るにつけ、それを言うのも野暮なのかもしれないという気もする。上級生の強引なアプローチに気圧《けお》されて身を引きつつも、期待と興奮に頰を上気させ目を輝かせている。二年前には自分自身も同じような顔でこの廊下を歩いたのだろうから。

純粋な期待と根拠のない自信を胸に意気揚々と入学してきた二年前の自分はなんだかもう若干黒歴史と化していて、思い起こすと面映《おもは》ゆい気持ちになる。あれから二年。二年間のどの時点で、自分の天井を認めざるを得なかったんだっけな……。

「きみ、なあなあ、そこ行くきみ」

と、背後からがしっと肩を組んでくる者があった。

「おっ、いい腹筋してんなあ。一年でこんだけ身体《からだ》できてるってことはちゃんとした運動部入ってたんやろ？　何部？　野球か？　サッカーか？　柔道やってみんか柔道。きみやったら軽量級ですぐ大会でれるぞ。サッカーなんて入ったら卒業するまでベンチにも入れん可能性あるぞ？」

でかい奴にのしかかられて前かがみにさせられながら脇腹を撫《な》でられ「ちょ、やめろ」小田は身をよじって相手を肘で押しのけた。

「ん？　あーなんや、小田やげ。すまんすまん。ちーっと間違った」

「ちーっとじゃねえわ。たいそうな間違いや」

「まあ小田でもいいんやけどな、おまえなら即戦力やし。今からでも転部せんか？　おれは小田っちに第二の野村忠宏《のむらただひろ》を見ている。なんやったらかけもちでもかまわんぞ。弱小部どうし部員の融通きかせようや」

「野村とかようわからんって。三年勧誘してる暇あったら一年捕まえろや」

「めぼしい一年はもう持ってかれてもてなあ。やっぱサッカーなんかなあ。柔道ってほんなに洒落《しゃれ》てえんかなあ。くせえイメージ持たれてるんかなあ」

「まあ洒落てはえんな。おれ急ぐで」

愚痴になってきたので素っ気なくあしらって歩きだしたが、

「小田ぁ」

野太い声が追いかけてきた。振り返ると廊下にひしめく生徒たちの頭の上から長身の柔道部員の厳《いか》つい顔が飛びだしている。

「本気やぞ。おまえ欲しがってる部、うちだけやないぞ？　なにもおまえがバレーやなくても……。よりにもよってなんでバレーなんや」

余計なお世話じゃ、と胸中で毒づいて前を向き、人ごみに身をねじ込ませた。身体が抜けたと思っても自分自身より横幅があるエナメルバッグが引っかかって後ろによろめき、もどかしげにストラップを引っ張って再び胸に抱え込んだ。

よりにもよってなんでバレーなのかって？　他人に言われなくてもそんなことはとっくに自問している。諦《あきら》めどきを逃した？　早い段階で転向していればもっと他に力を発揮できることがあったかもしれないのに？　どうだろう、そんなものがこの世にあるはずがないと思いたいが、もしかしたらあったのかもしれない。

でも、今年は絶対、続けててよかったと思う年になる。今年、絶対にうちは強くなる。自分一人で成すことは無理でも、役者は揃《そろ》いつつある。

身体の底からじわりと昂揚感《こうようかん》がわいてくる。すこし重くなっていた足取りが軽くなる。バッグを抱えて俯《うつむ》いていた顔をあげ、前を見る。気がはやるのを抑えられず、部室へ向かう足が急いた。

七符《ななふ》清陰《せいいん》高校男子バレーボール部、今日が新一年生を迎えた第一日目の練習日だ。

小田が練習着に着替えて体育館に行ったときには、二年の部員が中心となり新一年にも手伝わせて準備が進んでいた。三学年が揃うとやはり部としての恰好《かっこう》がつく。なにしろ去年の三年が引退して二学年で活動している期間は小田の代が二人、一つ下の代が三人で、合計わずか五人。試合の頭数すら揃わない状態だった。

入学式から三日が過ぎた時点で受け取っている仮入部届は四枚。上々の成果と言える。ここから何人残るかわからないが、全員本入部してくれるものとして……。

「八人……あ、おれ入れて九人か」

九人もいるとこんなにもコートが寂しく見えないものなのか。

体育館の入り口に突っ立ってしばしその風景を噛《か》みしめていたら、青木が苦笑を浮かべて寄ってきた。

「おいおい、こんくらいのことで感動せんでも」

「か、感動なんかしてえんっちゅうの」

ばつの悪さをごまかして目を逸《そ》らした。そもそもこいつと目をあわせて喋ると首が疲れる。隣に立った青木の肩が笑いをこらえるように小さく震えているのが気に入らなくてわざとしかつめらしい顔をする。

青木の言うとおりだ。こんな段階で満足していてどうする。二ヶ月後の六月頭にはインターハイ予選も兼ねた県大会がある。新入部員の中からもさっそくスタメンを選出することになるだろう。

「ふあー。やっぱ高校のは高いなあ」
一、二年でネットを張り終えたあと、一人の一年がネットの前でぽかんと口をあけてそう言った。経験者のようだ。シューズはミズノのバレーボール用のもので、履き込まれているのが見て取れる。顔立ちにはまだ中坊らしいあどけなさ、というか甘ったれた感じがあるが……でかいな。青木ほどではないにしろ確実に一八〇は超えている。センターに立たせておくだけでもそこそこ使えそうだ。

「一本打ってみるけ？」

声をかけて小田はコートに歩み寄った。

「いいんですか？」

遠慮がちにはにかみつつも嬉しさを抑えられないという顔だ。ああ、いいな。いい顔をする。

「どこから打つ？ 得意なとこでいいぞ」

「ほんなら後ろの、真ん中からがいいです」

迷わずバックアタックを要求してきたことに少々驚く。センターじゃなくてサイドアタッカーか。一年は膝《ひざ》を柔らかく使って二度ばかり跳びはねてからコートエンドまで軽快に駆けていった。「棺野《かんの》、パスだしてやれ」青木が転がしたボールを二年の棺野が拾いあげてレシーバーの位置に入った。小田は前衛のライト寄り、セッターの位置へ。小田のポジションは本来セッターではないが、この素材がどの程度のものか、最初に味見をしたかった。

棺野がオーバーハンドで軽くパスをよこす。小田はまず小手調べにゆっくりめの

高いトス《ハイセット》を——って、

「おい⁉」

　だだんっと一年が両足で床を蹴り、ボールが小田の指先を離れるか離れないかというときにはもう跳んでいた。床自体が弾力をもってジャンプに力を添えたかに見えたほど——高い！　だけじゃない、遠い——！　弓なりに反った身体がアタックライン手前からネット前まで、三メートル近くを一気に飛び込んでくる。

　だが当然ながらトスとぜんぜんあってなかった。高く放《ほう》った小田のトスが放物線の頂点に達しもしないうちに、一年はすかっと非常に景気のいい空振りをかまし、勢いを殺せないままネットの下をくぐって向こう側のコートまででんぐり返しで転がっていった。大きな山なりを描いて落ちてきたボールを棺野が涼しい顔で真下に入ってキャッチする余裕すらあった。

「お……おい、大丈夫け⁉」

　一瞬呆然《ぼうぜん》としてしまってからはっとして駆け寄る。初日から新入部員に怪我《けが》をさせるわけにいかない。「すいませんー」と、一年が開脚前屈の恰好から案外平気そうにむくりと上体を起こしたので胸を撫でおろした。

　ずいぶん柔らかいな……この身長で……？　でかい奴は身体が硬いというのが小田の経験上の認識だ。中学時代からストレッチはしっかりやってきた小田はそこそこ柔らかい。自分が持っている数少ない身体的アドバンテージだと密かに思っていた。この一年はそれをあっさり覆《くつがえ》してきた。すこし……けっこう、悔しい、これは。

けど、なんだ？　今のタイミング。トスを見てから跳ばないのかこいつは？　一年は「あれぇ、変やなあ」などと独りごちて首をかしげている。

「さて、余興はそんくらいにしとこっせ。集合ー」

青木が手を叩《たた》いて他の部員を呼び寄せた。

小田・青木の正副主将と対面する形で、向かって右翼に二年三人、左翼に一年四人が適度に広がって立つ。体育館使用日の今日は棺野も参加しているから、全員の顔を見て新年度のスタートを切れるのが気持ちいい。今しがたの突拍子もない一年を含めて新入部員たちは少々緊張した面持ちになっており、初々しさについ頬がゆるむ。

仮入部時に記入させた紙片を青木から手渡された。四枚の紙片を手もとでぱらりと流し見る。仮入部届は各部共通の書式で、希望の部名、クラス、氏名、出身中学を書かせるようになっている。当たり前だが最初の項目には四枚とも「男子バレーボール部」とある。それぞれに下手くそな字で書かれたその一行が目に眩《まぶ》しい……って、ここで感動してたらまた青木に笑われる。

「ほしたら一年に一人ずつ自己紹介してもらう。クラスと名前、出身中、身長、経験者はポジション。他に希望ポジションがあれば言ってもらってもいい。未経験者はわからんかったらいいでな。まず……」

　仮入部届の一番上にあるものを読みあげた。

「長門亮《ながとりよう》。どいつや？」

　はいっと食い気味に左端の一年が返事をした。こいつも悪くない体格だ。去年の県《けん》中《ちゆう》で顔を見た憶《おぼ》えがある。

「一年E組、長門亮です。出身は紋代《もんしろ》中です。身長は今たぶん一七八くらいです。ポジションは一応センターでした」

　県中四位、紋代中。青木と視線を交わして頷《うなず》きあった。

「よし、次。黒羽《くろば》ゆうじ」

　今度は即座に応じる者がない。

「ん？」

　紙片から目をあげる。先に名乗った長門が右隣の者を肘で小突いている。長門の脇腹に肘を入れ返しつつ俯き加減に「はい」と答えたのが、さっき空振りをかました一年だった。

「1-C黒羽ゆうじ、紋代中出身、今たぶん一八三か四かそんなもんです。ポジションはレフトでもライトでも……」

　言いながらその黒羽が隣の長門を睨《にら》んだ。見ると長門が口を押さえて肩を震わせている。

「なんやいったい」

小田が口調を険しくすると二人とも顔を引き締めたが、

「なんでもないです。黒羽ゆうじです」

不本意そうに長門に横目をやりつつ黒羽が再度名乗ると、長門がぷっと音を立てて噴きだした。

「……先輩。ユニです。読み」

と、右翼の二年の中から棺野が口添えした。「あっ」と黒羽が棺野に抗議するような目を向けた。そういえば棺野も紋代中出身だ。

「なんや、ほんならほれとはよ言えや。なんで訂正せんのや」

「いいです。今日から改名します」

耳の先まで赤く染めつつ真面目くさった顔で黒羽が言う。「今日から改名って、おまえ」小田はこめかみを引きつらせた。バカなんだろうかこいつ。長門がもう耐えられんとばかり腹を抱えて身体を折った。

「先輩、こいつ今日新しいクラスで名前めっちゃ笑われたそうです。由来訊《き》かれてユニバースのユニって言ったら、えらいごたいそうな名前やなって。ほやで拗《す》ねてるんやな、祐仁《ゆに》？」

「うっさいっ……だって中学んときは誰もなんも言わんかったやろ」

「いや、おれも思ってたけど小一から知ってるしタイミング逃してただけや」

「は、早めに言っとけやそーゆうことは。傷が深くなるやろおれの」

同中出身者《おなちゅう》のやりとりにただ戸惑った顔で突っ立っていた残りの一年二人も遠慮がちに笑いだし、「わ、笑うなっちゅうの」と黒羽が愕然《がくぜん》とする。やれやれと小田は溜《た》め息をつき、

「いいんじゃねーんか。ユニバースのユニ。誰がつけたんや？」

口を挟むと、四人とも反射的に姿勢を正して笑いを収めた。「じいちゃん……」と、黒羽が気恥ずかしそうに俯いて答える。「寺の坊《ぼん》さんが字画で決めて、最初ひろひとって読みやったんやけど、それをじいちゃんが、宇宙に手が届くくらいでこなるようにってゆう意味で読み替えたって……」

本人はあまり気に入っていない様子だが、小田はその由来に感じ入った。いいな……とまた思う。長門以外の一年ともこのエピソードで打ち解けたようだ。もう親しそうに小声でなにか言いあって小突きあっている。どうにも妙な隙《すき》のあるキャラクターゆえか、周囲の者に好感を覚えさせる。こういうムードメーカーがチームにいるといないとでは大きく違う。そしてもちろんまず第一に目が行く恵まれた身長と、さっき見せつけられた跳躍力。身体の柔らかさは故障のしにくさに繋《つな》がる。

いいな……けど……悔しい。主将として本心から歓迎する気持ちと、同じアタッカーとしての嫉妬《しっと》混じりの羨望《せんぼう》と、二つの気持ちがないまぜになる。

「黒羽ユニやな。改名はおれが認めんでそのままで。ほしたら次行くぞー」

仮入部届をまた一枚めくると紋代中の出身者は打ちどめだった。念のため最後の一枚にも先に目を通すが、これも違う。四人の中にいるとなんとなく勝手に思い込んでいたのだが……。

「黒羽、長門。おまえらんとこからもう一人うちに来てるやろ?」

小突きあいからふざけあいに至っていた一年二人がその途端ぴたりと固まった。特に黒羽のほうの反応が際立っていた。笑いが浮かんでいた顔が瞬時に強張《こわば》り、でかい身体がひとまわり縮んだように見えた。

「どうした?」

二人とも答えを濁して小田から目を逸らす。

「灰島《はいじま》って、うちに入学してるやろ。灰島——公誓《きみちか》」

小田が焦《じ》れて重ねると、長門が黒羽の横顔に意味深な視線を送ってから、おずおずと言った。

「あいつ、灰島、県中のあと部にも顔ださんし、バレーもやってえんみたいです……」

2. TROUBLESOME ROOKIE

　小田がそのセッターを見たのは去年の七月。中学県大会の準決勝だった。一回戦と二回戦が行われた一日目は見に行かなかったのだが、面白いチームがいるという情報を中学時代のバレー部仲間が伝えてきたので興味を覚えて二日目だけ足を運んだ。

　前年までは出場すらしていなかった、紋代中というぽっと出の学校だった。正直言って最初はこのチームのなにが面白いのかと情報提供者に憤りすら感じた。残っている四校の中では攻撃力も守備力も見劣りしたし、ここまで勝ちあがってきたのが不思議だった。ちなみに黒羽祐仁の姿は準決勝にはなかったはずである。もしいたら印象に残っていただろうから。

　冷めた気分で見ていたのだが、セッターの選手がジャンプサーブを打った瞬間から俄《が》然《ぜん》前のめりになった。左利きという一要素だけでもバレーボール選手としては貴重な素質だ。しかしそれを差し引いても、フォームがいい。筋力がありそうではないが、テイクバックからスウィングに至るまでの身体の軸の使い方が美しく、体幹《たいかん》を使って腕を振ることができているからボールに強烈なパワーが乗る。あれが本当に中学生か⁉

　サーブだけではなかった。レシーブがいい位置に返らず、セッターが動いてトスをあげにいかねばならない場面も多かったが、体勢を崩してボールの下にぎりぎり走り込んだとしても次の瞬間にはアタッカーがいる場所に正確なトスがあがる。ボールハンドリング、ステップワーク、軸足の使い方——トスアップのすべての技術が際立っている。とにかくもうセンスの塊《かたまり》としか言いようがない。

どうやら第一セットの途中で利き手の左手の指を痛めたようなのだが、その後驚いたことに右のワンハンドでジャンプトスを使いはじめた。自棄《やけ》になったわけでもなさそうで、両手でのトスと比べてもその精度は劣らない。

「あいつ……両利きか！」

思わず膝を打って立ちあがってしまい、周囲の視線に羞恥《しゅうち》して座りなおした。

ただいくら超中学生レベルでも、体力は中学生だった。疲労が蓄積していくのが見て取れた。その他の選手に恵まれないチームだったこともあり、結果的には大差のストレート負けで紋代中はコートを去ることになった。

灰島公誓。県内では聞いたことがない名前だった。

その前年の東京の大会で二年生にして正セッターを務め、優秀選手にまで選出されたセッターであるという情報を後に青木が引っ張りだしてきてくれ、驚愕とともに腑《ふ》に落ちた。

まさかそんな奴がうちみたいななにもない公立校に入ってくるとは——新入生のクラ

ス分けを何気なく眺めていて、その名を見つけたときにはにわかに信じられず二度見してしまった。しかしそうそう同姓同名などあるとは思えない名前である。新入生たちに迷惑がられつつ掲示板に顔を突きつけて穴があくほど凝視しているうち、笑いがこみあげてくるのを抑えられなかった。いいセッターがチームにいればとずっと思っていた。最後の年に、待ち望んだものが飛び込んできた——。

そいつが今、バレーをやってないだって……？

＊

「故障でもしたとしか考えられんけど……」

「故障やないって一年どもは言ってたやろ。指の脱臼《だっきゅう》も重傷やなかったそうやし」

「ほやけど他に理由なんてあるんけ？」

「やめる理由なんていくらでもあるやろ」

青木の達観した言いようが不満で小田はむすっと口を閉ざした。隣を歩く青木の肩がひょいとあがった。

練習日の翌日、二限と三限のあいだの十五分休みを使って小田と青木は灰島のクラスを訪ねた。一年の教室の並びの端っこ、一年F組の戸口に二人が立つと、戸口付近にいた女子生徒がぎょっとして小さな悲鳴をあげた。たぶん青木を見て。

「灰島っているか？」

一年女子は「は、はい」と身をひるがえし、窓際の一つの席へと駆け寄っていった。

椅子の座面に浅めに尻を引っかけて背もたれに深く背を預けるという、入学四日目の新入生にしては横柄《おうへい》な姿勢で目を閉じていた男子生徒が面倒くさそうに女子のほうに顔を向けた。女子がこちらを指さしてなにか言うと、耳を覆っていた銀色のヘッドフォンをずらし、こちらに首を巡らせて訝《いぶか》しげな顔をする。

「扱いづらそうな奴やな」

県中《けんちゅう》は見に行っていない青木がそう感想を漏らした。

ヘッドフォンを机に置いて灰島が席を立った。細いな……まだ鍛えてるって感じじゃない、などと小田は相変わらず癖で観察している。でも全身のバランスがいい。県中で見たときよりも背が伸びたか？　教室にいる並みの一年男子の頭の高さから一つ飛び抜けているが、頭自体は小作りで、細いフレームの眼鏡《めがね》がすんなりはまっている。普通だったらアタッカーにしたくなる長身だが、あえてこいつがセッターにいるからチーム全体の攻撃力が跳ねあがる……と、すでに頭の中でチーム作りに思考を巡らせていて、自分のせっかちさに内心苦笑する。

「なんですか」

迷わず青木の顔を見て灰島が言った。話に聞いてはいたがイントネーションに地元の訛《なま》りがない。先入観を持ちたくはないが、どうしても取っつきにくい感じはする。

「あー、メインはこっち」

青木がちょいちょいと斜め下を示して言ったのを受け、初めて灰島の視線が小田に向けられた。眼鏡の下側のフレームがちょうど死角を作って気づかなかったと言わんばかりだ。最上級生がわざわざ訪ねてきたらもうちょっと恐縮するものじゃないかと思うが実にフラットな態度である。フランクではなくてあくまでフラット。

心持ち胸を反らして小田は灰島と対した。

「三年の小田と、こっちが青木。男バレの正副主将や。ちなみにこいつがセンターでおれはレフト」

「そっちの人は見ればわかりますけど」と灰島が青木を目で示し、小田に視線を戻して、レフト？と口の中で言った。どうにもさっきから印象がいいとは言えないが……いや印象で人物を決め込むことはすまい。

「勧誘ですか」

「あ？　ああ、そっちから言ってくれると話が早いわ。なんで仮入部届だしてえんのや？　故障してるわけやないって聞いたけど」

「インハイ予選グループ戦突破、決勝トーナメント１－２で一回戦負け。秋季大会２－

0で一回戦突破、0－2で二回戦負け。春高《はるこう》予選0－2で一回戦負け。新人戦出場なし」

あらかじめ解いてあった英文訳を読みあげるような口調で言われた。一瞬ぽかんとしたが、すぐに思いあたった。去年一年間の清陰男子バレー部の公式戦の戦績だ。こいつ全部頭に入れてるのか？

「高体連が公開してるのを見ただけです」

淡泊な溜め息をつき、なんら躊躇《ためら》いや後ろめたさもなさそうに、続けて灰島はこう口にした。

「そんなチームでおれ一人が上手《うま》くたってしょうがないじゃないですか」

とっさに意味が呑《の》み込めなかった。小田の理解の範疇《はんちゅう》を突き抜けていて。力があるゆえに傲慢《ごうまん》になる選手というのはどうしてもいるもので、チームの内外でこれまで何人も見てきた。けど……そういう類《たぐ》いの傲慢さとも違うような、突き抜け方が真上じゃなくて斜め上すぎて——。

なんなんだ、こいつは？

申し訳程度に頭を下げただけで灰島がきびすを返そうとするので「待てや」と反射的に腕を取った。「まだ話終わってえんぞ、一年」身体が先に動いてから遅れて怒りがわいてきて、声に凄《すご》みを利かせる。迷惑そうに腕を引き戻しただけで灰島はまったく怯《ひる》んだふうもない。教室にいる一年たちが一瞬どよめいてから口を閉ざして凍りついた。

「伸。ほっとけやもう。引きあげよっせ」

思わず拳《こぶし》を振りあげそうになったところを青木に制された。

「やっぱ扱いづらいわ、こいつ」

青木の長い腕に阻まれて戸口から外に遠ざけられ、小田は歯噛《はが》みをした。怒りのあとから悲しみらしき感情がこみあげてきて、目の奥が熱くなる。恵まれてる奴に限ってなんでこういう物言いをするのかと……。

いかにも訝しげに灰島が目を細め、

「あんたはなんでそのポジションにしがみついてるんですか」

耳を疑う捨て台詞《ぜりふ》を吐いて背を向けた。

返す言葉がなく硬直する小田の脇からぬうっと足が伸びた。席に戻ろうとする灰島の尻を青木の上履きの底が蹴飛ばした。……へ？　予想外の青木の行動に唖然《あぜん》とする小田の目の前で、灰島が派手につんのめり、教室に並んだ机の列に突っ込んだ。

3. OLD BUDDY

「小田ー。頼むって、フットサルのほうでてくれや。おまえならプロ級で素人枠ででれるんやで」

「小田っちー。なんでソフトでてくれんのやー。うちのレギュラーのショートよりおまえのほうが頼りになるくらいなんやでな。いや謙遜《けんそん》すんなって。おべっかやないって。おまえにおべっかなんか使ってどうすんや」

「小田ー。なんでよりにもよっておまえがバレーなんや」

「なにもおまえがバレーやなくても」

「小田ー。いや小田神《しん》ー」

季節が変わり、六月も半ば。雨がちなこの季節、泥で汚れたユニフォームやジャージ姿で追いすがってくる男連中のスカウトを振り切って小田は生徒会室に逃げ込んだ。六月の風物詩と言えば聞こえはいいが、ターゲットにされるほうとしては単にむさ苦しいだけである。

「邪魔するぞ。ちょっと避難させてくれ」

長身を持てあまし気味にパイプ椅子に収めて書類を眺めていた青木が顔をあげた。ロの字形に並べられた机の一角に「副会長」の札が立っている。

「おう。中まで聞こえてたぞ。大人気やな」

「もうメンバー表提出済みやろが。今頃言われたかって知らんっちゅうんじゃ。今頃やなくてもバレー以外にでる気はないけどな」

「まあそう邪険にせんでも。買ってもらえてるんはありがたいことやろ」

「ありがたないわけやないけど……おれは野球もサッカーも体育でかじった程度のもんやぞ。なんでこう買いかぶられるんか本気でわからん」

「自分の実力を自覚してえんのと違うか」

「バレーの実力やったら十二分に自覚してる」

我ながら卑屈な台詞に聞こえて、言った直後に後悔した。書類に目を落としたまま青木が一瞬だけ黙ったが、

「……バレーの出場者見るけ？　ちょうど今まとまったのがでてきたとこや」

なにも聞かなかったような顔で話題を変えた。こいつの気のまわし方にはいつも敵《かな》わない。

机のコーナーを挟んで青木の斜め向かいの椅子を引く。青木の他には隅の席で下級生の役員二人組がなにか作業をしている姿があるだけだ。

生徒会が主催する一学期のメインイベント、清陰球技祭が二週間後に迫っていた。今月頭に行われた県大会で男子バレー部は虚《むな》しく敗退し、インターハイと国体への道を閉ざされたばかりだ。三大全国大会はあと一つ、一月の〝春高《はるこう》バレー〟。夏休みあけの九月に行われる県予選会に向けてすぐにでも再スタートを切らねばならず、こんな時期の球技大会は本来なら部の活動にとって迷惑でしかない。

しかし今年に関しては、このワンクッションがありがたいような気もしていた。通常どおりに練習は行ってはいるのだが、今ひとつ気持ちの切り替えができずにいる。ちょうど県大会後にクラスで配られたプリントも間違いなく一つの原因になっていた。「第二回進路調査」と題されたそのプリントは白紙のままロッカーに突っ込まれている。

「今年はおもろいことになってるぞ」

数枚の用紙が挟まれたクリップボードを青木に渡された。球技大会の種目別の名簿だ。

「二重丸ついてるんがプロな」

〝プロ〟とは無論プロスポーツ選手のことではなく、この球技大会の内輪用語で、各種目に該当する運動部に所属する者を指す。プロ枠は各チーム最大三人と定められている。プロの対義語は〝素人〟で、中学時代の経験者や中途退部者は〝セミプロ〟と呼ばれたりもする。

A組からF組までを学年を貫いて縦割りにした全六チーム。各チームの三年から総大将を担ぎだし、全種目の合計ポイントで総合優勝を競う。主要運動部の主将がうまい具合に別々のクラスにばらけているため、運動部の勢力争いも絡んでなんだかんだで熱が入るイベントだ。

男子バレーの出場者名簿をAチームから順に眺める。Aチームに二重丸はなし——該当部員数が多いソフトボールやフットサルでは部員間でプロ枠の奪いあいが発生するが、我が部に関しては悲しいかな、むしろ枠割れしている状況である。

「へえ、Bが大穴やな」

Bチームにも二重丸はなかったが、備考欄を見るとラグビー部員がやけに多い。「ていうかこの備考って自己申告なんけ？」「いや、実行委《う》が収集《ち》した。ほやでちょっと集計が遅れてな」「余計なもんに労力使ってるな」「ほうけ？　楽しいぞ。情報収集」備考欄には現在の所属部の他、中学時代の部活や校内体力テストの目立った成績などの情報が付記されていた。青木の人となりを知らずにこのリストを目にしていたらちょっとぞっとしそうである。

２－Ｂの大隈《おおくま》というラグビー部員は顔と名前が一致した（〝大熊〟だとばかり思っていたがこの字だったのか）。球技大会レベルであればでかい奴がネット前にいるだけでもある程度有効だ。一八〇超のラグビー部員が前衛に三人揃ったらわりあい強敵になるかもしれない。

続くＣチームには二重丸がずらりと三つ――３－Ｃ青木操◎、２－Ｃ椙野秋人◎、１－Ｃ黒羽祐仁◎、が顔を揃えていた。

「……なんやこの偏りは。反則やないんかこのオールスターチーム」

「三人までやろ。ルール違反やないぞ」青木が飄々《ひょうひょう》として言った。「今年Ｃ組に三人もいたんは偶然やしなあ。これに関してはおれが操作したわけでもないし、文句言われても困るわ」他の件では操作したと暗に認めてないかそれ。

「まあ最悪おれは抜けるかもしれん。運営のほうの仕事も抱えてるで。黒羽の援護は棺野にまかせときゃいいやろしな」

「抜けんなや。おまえがえんとつまらん」

間髪をいれず小田が言うと、青木がわずかに目をみはってこちらを見た。青木のこういう涼しい態度にいつも一瞬苛つかされる。

「おもれぇやないか……うちが絶対倒す」

挑発的に宣言する。青木が口の端でにやりと笑った。

「手加減せんぞ？」

「当たり前や。ちょっとでも手抜きしやがったら一生口きかん」

「それはまじで勘弁してくれ」

青木一九三センチ、棺野一八一センチ、黒羽一八四センチ。直近の大会のエントリーシートに書き込んだ全員の数値を小田は記憶している。男バレ部門の全出場者中間違いなく最高身長を誇ることになるだろう青木をセンターに据え、サイドに攻守のバランスがいい棺野。黒羽はまだだいぶムラッ気があるが、波に乗せてやりさえすれば抜群の攻撃力を発揮する。

球技大会は気持ちの逃げ道みたいなもので、どっちかというと消極的参加だったのだが……ちょっとわくわくしてきた。部員八名の弱小部では四対四のミニゲームがせいぜいで、まともな紅白戦もできずにいた。それが素人を含むとはいえちゃんとした六人制のルールの下で、この顔ぶれと戦える。こんな機会は他にない。

問題は自分のチームの戦力だが、すこしは使えそうな奴がいれば……続くD、Eチームをつい斜め読みで済ませて自分が率いることになるFチームにたどり着く。名簿のトップにまずあるのが3-F小田伸一郎◎。以下各学年から四人前後が選出されているが、小田の他に二重丸はない。Cチームと比べるとどうしても心細い。

「……灰島？」

の名前が、あった。

1-F灰島公誓。二重丸は当然ながらついていない。

名簿から目をあげると、やっとそこに気づいたかと言いたげに青木が頷いた。「おもろいことになってる」のクライマックスがここだったようだ。

「あいつがバレー選ぶとは思わんかったやろ。どういう風の吹きまわしなんかな。あれ以来おまえから逃げまわってんのに」

「おれから逃げてるんやなくて、あれはおまえの暴行のせいやないんか」

「暴行やないって。三年に対する口の利き方をちょっと注意してやっただけや」

「足でか？」

「まあ足はつい、な」それをして暴行と称さない場合の暴行の定義とはなんだ。

新年度早々の四月初旬に青木が灰島の尻を蹴飛ばした事件以降、校内で姿を見かけるたび灰島のほうからさりげなく……こっちからすればどう見ても露骨に、ルートを変えて逃げる。でかいから遠目でもすぐ認識できるのだが、自分が目立ってる自覚があいつにはないんだろうか。その身長の恩恵を無意識に享受してるだけなんだったら、おれにくれ……と思う。主将としてチームに灰島が欲しいという気持ちと、個人としてやっかむ気持ちとがここでも混ざりあう。

Ｆチームのチーム練習初日は来週の月曜だ。一週間のチーム練習を経て球技大会を迎える。

「来るんかな、あいつ」来るとしたらどんな顔して来るんだろう。

「まああれや、友だちが勝手にオーディション応募してもてーって顔でのこのこ来るタイプかもしれんぞ」

「おいおい、辛《から》いな……」

柔和な印象とうらはらに青木はかなりの毒舌である。本人談によれば言いたいことは溜め込まない、嫌なことはしないを主義としている。ただ小田に言わせれば、そうか？と思う部分もある。おまえ、おれに対して言いたいこと全部言ってるか？

「……おまえ、あれもう提出したけ。進路のやつ……」

あとで考えればいいと思っても、ずっと頭に引っかかっている。目には見えない小石がごろついている。その小石がエネルギーが噴きだす穴を塞いでいるような感じなのだ。

第二回とついた進路調査であるからには第一回もあったわけだが、そのときは文理と国立私立の選択までだった。しかし今回は具体的な志望大学・学部名まで書く欄があった。一応は進学校なので就職組や専門学校組はごくわずかだ。

いきなりの話題に虚を衝《つ》かれたような間があったが、口を開いたときには青木の声色に変化はなかった。

「ああ、まだ。決まってえんし」

嘘をつかれたのがショックだった。おまえのほうはもう提出しただろう。実は知って て訊いたのだ。

だが、

「……ほうけ。まあまだ先やしな」

としか言えなかった。

小田のクラスにも噂《うわさ》が流れてきたのである。第一志望・京都大学法学部——職員室に提出されていた青木のプリントを覗き見た者がいたらしい。まさか京大とは。そこまで頭よかったのかと愕然となった。いや知ってはいたが、それでも。

これまで青木とバレー以外の話をほとんどしたことがなかったと、遅すぎる発見をそのときしたのだった。この二年以上ほぼ毎日顔をあわせているのに、考えてみれば相当変じゃないか？　そもそも青木と共通する話題がバレーだけなのだ。バレーを除けば趣味もまったく掠《かす》らない（正確には小田にはバレーしか趣味がない）。小田からバレーの話を振るばかりで、青木がなにに興味があるかとか、将来なにがしたいかなんてこと訊きもしなかった。

っていうか、京大？　仮に春高《はるこう》の県代表を勝ち取ったら、一月の本戦まで引退できないんだぞ。いくらおまえでも部活の片手間に受験勉強して京大法学部なんか受かるのか？——と、思うだけで口にすることができない。だってもし青木が受験を優先して引退すると言いだしたらどうするんだ？　たぶん素直に送りだしてはやれない。部員ぎりぎりなんだから駄目だと、自分の都合を押しつけそうだ。いや青木は引き延ばせる限り引退を引き延ばしておれにつきあってくれるとは思う。だがそれこそ借りばかりが増えていく。

おまえ、おれにつきあわされてること、どう思ってるんだ？　バレーを取ったらおれなんかつまらない人間でしかないのに。

「あれや、おまえ……おれといて楽しいんけ」

「へっ？」

さすがに素《す》っ頓狂《とんきよう》な声をだされた。ものすごく女々しい質問だった気がして穴があったら入りたくなった。おれは青木の彼女か、おい。

「あー……どうした、伸。おかしいぞ」

「おかしいけ」

「おかしいな」

バレー以外のことで悩んだら変らしい。自分でもそう思う。進路の件にしても、バレー絡みであればインカレ強豪校で興味のある大学は何校も挙げられる。だがバレーから離れたら途端に途方に暮れる。春高予選で負けて引退となったらいよいよ他にやりたいことを探さねばならないんだろうかと、予選落ちを前提にするなどあり得ないことなのに雑念がよぎる。今はまだバレーのことだけ考えていたいのに、意識がとっ散らかって一つのことに向きあえない。逆に言えば、バレーのことだけ考えているわけにはいかない時期がもう来ているのだ。

びびびび、と青木の尻の下で椅子の座面が震えはじめ、「ん、ちょおすまん」と青木が尻に手をやった。体格と同様に長細い手の中で携帯電話を操作し、

「げ、会長から召喚メールや。行かんと」

「おれも戻るわ。忙しいとこすまんかったな」

「ほやけど、話」

「いや、別にもう、あれで終わりや」

納得したとは思えなかったが青木はそれ以上突っ込もうとせず、小田が立ちあがるのにあわせて携帯をしまって腰をあげた。立って並ぶと目線に入るのは青木の肩のあたりになる。目があっているときよりもなんとなく気が楽で、しかし目線の格差に慣れてしまったことに、それはそれで複雑な思いが滲む。

小田は一六三センチ。青木との身長差はちょうど三十センチになる。高校入学時点からちっとも埋まっていない。伸一郎なんていう名を親はよくつけたものだと疎《うと》ましく思うこともある。

一六三は一般的な女子の平均身長よりはかろうじて高いし、小柄は小柄だが極端に小さいわけではない。他のスポーツの世界であれば一六〇センチ台の男子選手が国際大会でいくらでも活躍している。

だがバレーボール選手としては、しかもアタッカーとしては、致命的に足りない身長だった。高校ではまだどうにかやれても大学以上では絶対に通用しない。バレーに打ち込むのは高校までだと、まだ誰にも話してはいないが自分の中では終わりを見極めている。

よりにもよってなんでバレーなんだろう。

でも……そんなの、理由は一つしかないじゃないか。

4. CHILD OF VOLLEYBALL

球技大会前の一週間は放課後の部活に優先して球技大会の練習が行われる。月曜の放課後、今日がFチームのチーム練習初日である。

「ほやでわたしは男バレのマネやないんやって。ヘルプで来てるだけや」

「ほんでもいいんで！　うちは部員二十四人いて、今マネ一人しかえんのや。男バレって何人いるんや？　えっ八人？　少なっ。二十四人あたり一人と八人あたり一人って、比率がおかしいと思わんか？　ほれやとうちにはマネが三人必要になるやろ？　ほーゆうわけでうちのマネになってください」

「あのな……わたしの話聞いてえんやろ。その理屈でなんでわたしが説得されると思うんかがわからん」

体育館に行くと、ガタイのいい男が四人横並びで正座して一人の女子を拝んでいるという光景に初っ端《しょっぱな》からでくわした。拝まれているのは女子バレー部から助っ人として来てくれている二年の末森《すえもり》だ。

今日の練習では二チームがコートを半面ずつ使うことになっている。小田のFチームと、もう一つは例のラグビー部軍団を擁するBチームである。我が校の男子運動部の中でラグビー部はサッカー、野球に次ぐ第三の勢力だが、球技大会の種目には入っていないため、各種目に部員を派遣して暴れさせることにこの球技大会における存在意義を見いだしている節がある。部をアピールするかのように四人ともあの特徴的な横縞のシャツを着てきており、その柄が上半身をいっそう厳つく見せていた。この四人のせいで体育館の温度が一、二度上昇してるんじゃないか……ただでさえ湿度が高い季節なのに、正直暑苦しい。

「スカウトの時間やないぞ。散れ」

小田は声を張って末森の前に割り込んだ。

「末森は女バレからの大事な預かりもんや。うちにいるあいだになんかあったらおれが女バレにシメられるわ。引き抜きたいんやったら女バレの主将に掛けあうんやな」

「あぁ？　なんやおまえ」

四人の中の一人が柄の悪い声で言い返してきた。立ちあがると青木に迫るほどの長身で、しかも青木と違って横幅と厚みがあるから重量感がまったく違う。前に立たれただけで押し潰されるような圧迫感を受ける。

この男がラグビー部二年、大隈だ。

「一年坊主がでる幕じゃねえぞ。すっこんでろや」

言われた瞬間こめかみが引きつったが、いちいち噛みついていたらキリがない。

「男バレ主将、３－Ｆの小田。今日の責任者や」

「へっ？　三年？　まじでか？」

大隈が目を丸くし、小田本人ではなく小田の頭を越えて末森に確認した。末森を庇《かば》う位置に立ったところで末森のほうが小田よりも背が高い。小田の存在など大隈にとってなんの障害物にもなっていなかった。

本当に上級生だと納得すると大隈と残り三人は一応態度をあらため、その後は進行を邪魔することなく従ってくれた。まずは二チーム合同でオリエンテーションの時間を取った。一チームにつき各学年三人から五人。二チームで二十五名ばかりになる。普段の部の練習風景の三倍の数の瞳が自分を見つめて真摯《しんし》に話を聞いている。少々緊張して咳払いが何度もでた。

灰島は、姿が見えなかった。人数調整のためだけに振り分けられたクチだったのだろうか。そうなると女子の末森を除けばこの二チームで経験者は小田だけだ。

球技大会バレーボール部門では全六チームを三チームずつ二グループに分け、グループ内総当たり戦の後、各グループの一位チームで決勝戦を行う。グループリーグが計六ゲーム、それに決勝を足して全部で七ゲームとなる。正規のルールは二十五点先取だが、そこを緩和して十五点先取の三セットマッチ。とはいえ七ゲームを滞りなく進行するとなると自分たち運営側にとっては目がまわるような一日になりそうだ。

「みんな体育でやったことはあると思うで、基本的なことは大丈夫やな？　ローテーションがややこし感じるかもしれんけど、まあ細かいとこまで反則は取らんで、前衛三人、後衛三人っちゅうんと、あとサーブの順番だけ間違えんようにすればOKや。ほしたらあとはチームごとに分かれて練習してもらう。おれはFのほうにいるで、Bのほうは末森、見てやってくれるか。なんかあったらすぐ呼んでくれ」

「なあ、主将ー」

と、解散を告げようとしたところで大隈が挙手した。

「おまえの主将やないが……なんや？」

「ばらばらで練習したかってつまらんし、BとFで試合しよっせ。そのほうが試合の流れもわかると思うんやけどー」

「いきなり試合け？」

よくいる試合は好きだが練習は嫌いという手合いか。基礎練を疎《おろそ》かにする者を小田は好まない。顔をしかめて「試合は大会当日にできるやろが。なんでうちの手の内を親切におまえのチームに教えてやらなあかんのや」

「ちょっとくらい手の内見してくれたかってかまわんやろ？　まさかほんなことで素人ばっかのおれらに負けたりせんよなあ？　主将は二メートルくらい跳んだりするんやろ。ほんぐらいやないとおれら、ジャンプせんでもはたき落とせてまうし」

おとなしくなったと思ったらそんなことを考えてたのか……。こんな安い挑発に乗ることはない。無視して予定どおり練習に移ればいいだけだ。そう思うのだが、どうしても腹の底がふつふつと煮えてくる。いや今日は青木はいないのだから自分が冷静にならなければ。

「先輩、やりましょう。一セットだけやったらいいんやないんですか」

と、せっかく自制する努力をしていたところを思いがけずけしかけられた。驚いて振り返ると、小田以上に末森が憤慨《ふんがい》した顔で仁王立ちしている。

「末森さんのが勇ましいなあ。ますますマネになって欲しいわ」

にやにやする大隈に末森が鋭い一瞥《いちべつ》をくれてから小田に耳打ちしてきた。「小田先輩は腹が立たないんですか。わたしは我慢できません。バレーをバカにして……。鼻っ柱を折ってやりましょう」

「いや、ほうは言ってもな」

「自信ないんやったらわたしが入ります」

末森がその場でジャージを脱ぎはじめたので「待てや」と即座に遮《さえぎ》った。「自分が打ったほうがおれが打つよりましってことけ」

声が一段低く、剣呑《けんのん》になる。末森がさっと顔を赤くして「いえ……すみません」と俯いた。厳しい言い方をしたかもしれない。しかし大隈のような素人にバカにされる以上に、おれは女バレの人間にまで下に見られてるのかということがプライドに障《さわ》った。

自信はある。ただでかいだけの素人に負ける気はしない。鼻っ柱を折ってやろうという意見にも正直同意する。しかしさすがに女子を入れて怪我でもされたら困る。バレーは素人とはいえ相手は球技をやっている運動部員だし、ボールの威力には男女間で越えられない壁があるのだ。

ただ、自分一人ではトスをあげてくれる人間すらいないのもたしかだ。あと一人、Fチームに経験者がいれば……。

……いた。

計ったようなタイミングで視界の端にその姿が入った。なにか様子がおかしいことを感じたのか、訝しげな顔で体育館の戸口に立っている——灰島。

「末森……棺野を呼んできてくれんか」

「え?」

しょげていた末森が顔をあげてまばたきをした。

棺野を呼んだのはなんのことはない、審判をやらせるためだ。点示係に末森。十五点先取の一セットのみ。余興と考えればこれくらいの時間は割いてもいいだろう。

ネットの前で軽いストレッチをしている灰島に視線を送る。とにかくなにか喋らせる前にコートに引っ張りあげることができたのは勿怪《もっけ》の幸いというか……その点では大隈に感謝すべきかもしれない。

多くの者は体育ジャージで出席していたが、灰島は装備からして素人とは雰囲気が異なっていた。黒のハーフパンツの下に足首まであるアンダーパンツを穿《は》き、ショートソックス、履き込んだ感のあるバレーボールシューズ。あのミズノ、黒羽のと同じモデルだ。そして両手の指の過半にきっちりと巻かれたテーピングが、なにか格が違うオーラを放っている。

校舎で見かけるときと顔の印象が違うと思ったら、眼鏡の有無だ。そうか、やはりプレー時はコンタクトに替えるのか。眼鏡に制服姿のときの気難しい文系少年といった印象から俄然スポーツマンらしくなっている。スポーツ用の眼鏡というものもあるが、バレーボールのスポーツ眼鏡はその競技の特性上どうしてもゴーグルのような形になり、視野が狭くなるうえ見た目も正直よくはないせいか、小田は高校生で使っている選手を見たことがない。

四月の件があってからいかんせん灰島に好感を持ってはいなかった。嫌っているわけではないが、完全に苦手な相手の部類に入っている。今もなにを考えているのかまったく読めないのが不気味だ。意気込んだ様子もなければ緊張している様子もない、単にニユートラルな表情。こいつと同じコートに立って、果たしてどんなプレーが成立するのだろう。小田のほうが相当に緊張させられている。

だが、その反面で昂揚感もあった。——楽しみだ。

「ほしたらサーブレシーブした奴はなるたけ灰島のとこに返すようにしてみてくれ。あれがセッターの灰島な」

コートに入れた他の四人は体育でやった程度とのことだ。交代させながらまずは全員を使ってみることにする。

「灰島、セッターでいいんやな？　行けそうか？　ブランクあるやろ」

肩をほぐしていた灰島がこちらに横目をよこし、気分を害したらしい顔をした。

「最高到達点は？」

いきなり単刀直入な質問をされた。この試合に至った経緯を訊くこともなく、遅れましたとかよろしくお願いしますとかの挨拶《あいさつ》の一つもなく、ここに来てからの第一声がそれである。

「スパイクやったら、最近ので三一五や」

「タッパのわりには跳びますね」

と灰島が目を細めた。完全に貶《けな》している口調だったが、いや待て、褒められたのか今。どうも誰かに通訳を頼みたくなる。

助走をつけて跳んで手が届く高さがスパイクジャンプの最高到達点だ。小田の場合は指高《しこう》（立った状態で手を伸ばして届く高さ）が二一五センチだから、スパイクジャンプは一メートルに及ぶ。大隈が煽《あお》った二メートルというのは無論あり得ない数値で、高校生男子のバレーボール選手で七十センチから九十センチといったところだろう。一メートルはかなり誇れる数値だと思っている。

Bチームは最初から前衛三枚にラグビー部三人を揃えてきた。こちらの攻撃の一本目をブロックで叩き落として出端《でばな》を挫《くじ》くつもりか、それなりに作戦を考えてきている。

主審に立った棺野がホイッスルを吹き、Bチームのサーブからはじまった。さすがにサーバーは素人なので簡単なアンダーハンドサーブが入ってくる。しかしこちらのレシーバーも素人なので綺麗《きれい》にセッターに返すのは難しく、ボールが大きくはじかれた。

小田がカバーに飛びだそうとしたが、

……え⁉

ボールの下にすでに灰島が入っていた。速い⁉　移動が速いだけではない。ボールのコースの読みが速いのだ。オーバーハンドで構えながらコート全体に素早く視線を走らせ、一瞬小田に目配せをした。つい足をとめていた小田ははっとしてネット前に切り込む。思ったよりもかなり速いタイミングで灰島の指先からトスが放たれた。県中《けんちゅう》で見たときはここまで速いトスはだしていなかったはずだ。普通だったら無難なオープント

スをあげるしかない距離から強気なトスが飛んでくる。速い――いや速いっていうか、なんだこの軌道⁉

なんとか空中で伸びあがって手にあてた。ジャストミートというわけにはいかなかったが、小田をマークしていたブロッカー三枚もまったく追いついてきていなかった。

中途半端に跳んだだけのブロッカーの頭上を越えてボールはBチームのコートに落ちた。小田自身、狐につままれたような心地で、腹の底をなんだかふわっとさせたまま着地した。

見晴らしが、よかった。普段は壁に阻まれてばかりの相手コートがよく見えた。長身のブロッカーの頭上を抜けるスパイクなんてそうそう打つことはないから、すっかり忘れていた――こんなにも爽快《そうかい》なものだったのか、ブロックの上を行くっていうのは。身体の中がくすぐったい。気持ちよかった……。

相手チームの驚愕した空気を尻目に小田は灰島に駆け寄った。

「おい、なんやおまえ今のトスっ」

それでも最初に口からでたのは文句である。ぎりぎり追いついたからいいものの空振りしてもおかしくなかった。

「いきなりあんなんあげられても打てんわっ」

「三一五より低いです今のは。やっぱりブランクありました。勘が鈍ってる」

と灰島が納得いかなそうに首をかしげる。最高到達点三一五って申告したからってその高さで打たせるつもりだったのか。鬼か。

「高さもほやけど、ほれよりタイミングの問題や。なんもあわせてえんのにあのテンポで打てるわけないやろ」

トスの基本はオープントスといい、高くあがって放物線を描いて落ちてきたボールにアタッカー自身がタイミングをあわせて打つ。サードテンポと呼ばれる一番ゆっくりしたタイミングのスパイクだ。

ところが灰島のトスは放物線の頂点でアタッカーに打たせるトスなのだ。結果的に打点までの〝軌道が短い〟、つまり〝速い〟。アタッカーからしたら自分めがけて〝まっすぐ〝飛んでくるように見える。アタッカーが最高到達点でスウィングする瞬間にトスの頂点をぶち込んでくるという超絶的なことをやってのけているのだが、アタッカーの側にも要求されるものは多い。初めてあわせる相手にあんなものをあげてくるとは、どういう神経してるんだこの男は。

噛みつく小田から目を逸らして灰島はなにかちょっと興が冷めたような顔をした。

「黒羽なら打ちます」

さらりと言われて返す言葉を失った。

入部当初黒羽の踏み切りのタイミングがおかしかったのはこいつが元凶か。妙な癖が染みついていたから矯正するのに苦労させられたのだ。

なるほど、県中では黒羽がいなかったからこの高速トスも見られなかったのか——対抗意識がむくりと頭をもたげた。一年に打てるものが三年のおれに打てないって言われて黙っていられるか？　あの速さなら高いブロックを躲《かわ》せることもわかった。今の打点と速さの両方をモノにできたら……。

「……いいやろ。今のやつ変えんなや。次はガチッとあわしてやる」

灰島がまばたきをしてから、ふっと短い息を吐いて目を細めた。……笑った？　のか？

「先輩、そっちのサーブです。遅延取りますよ」

棺野が控えめな声をかけてきた。ローテーションが一つまわって灰島のサーブだ。

「あわせてくれなくていいです。おれがあわせてるんだから。まだ余裕ありそうだったからもうちょっとあげてもいいですか。三二〇くらいまで行けるんじゃないですか？」

世にも不貞不貞《ふてぶて》しいことを平然と言い残して灰島はサービスゾーンにきびすを返した。

大隈の鼻っ柱を折ってやるとかいう最初の目的は頭からすっ飛んでいた。灰島、こいつに認めさせたい。途中からもうそれしか考えていなかった。球技大会の練習であることすら忘れて夢中になってしまい、コートの外から棺野と末森が初心者たちをフォローしてくれていたことをあとで知って非常に面目なかった。熱くなるとまわりが見えなくなるのは自分の悪い癖だ。目の前のことですぐ手いっぱいになる。

「灰島、次にチャンスあったら真ん中にあげてくれ」

セット終盤、後衛から灰島にバックアタックを要求した。頭にあったのは入部初日に黒羽が見せようとした、あの高速センターバックだ。黒羽にやれることなら自分だってやってみたい。

「おーい審判、あーゆうん遅延っていうんやないんけ。ぼそぼそ喋くりやがって、反則取れや反則ー」

ネットの向こうから大隈が声を荒らげた。ブロックの際に反則を何度も取られて相当苛ついているようだ。ネット際ぎりぎりで競《せ》って相手のオーバーネットやタッチネットを誘うという巧妙な技も織りまぜてくるのが灰島だ。まったく末恐ろしい一年である。

Bチームのコートにサーブが入り、大隈が獣じみた雄叫《おたけ》びをあげてスパイクに跳ぶ。だが灰島が俊敏なステップでその正面に移動してブロックにつく。おいおい……と小田は内心でぼやいた。ブロックポイントで試合終了にする気満々か。バックアタックやりたいって言ったところなのに、空気読めや。

大隈のほうが上背はあるが灰島は的確な腕の出し方でコースを塞ぐ。ブロックが苦手な一年の手本にしてやりたいフォームだ。

ああ……バレーボールの寵愛《ちょうあい》を受けた人間っていうのを、今おれは間近で見ているんだ……。バレーの神様からあらゆるセンスを賜《たまわ》った……。

がつっと、ボールを叩く音とは異質な音が響いた。小田の位置からでは死角になっていてなにが起こったのかすぐには把握できなかった。

灰島が床に着地するというよりは、墜ちた。棺野が即座に反則の笛を吹いた。

「灰島！」

慄然《りつぜん》として駆け寄る。灰島は右目付近を片手で押さえてうずくまり歯を食いしばっている。目か？　額か？　棺野や末森も駆けてきてコート内がひととき騒然となる。

「どういうつもりや、おい！　ラグビーとは違うんやぞ！」

頭に血が昇り、ネットの向こうに吠《ほ》えた。大隈が少々怯んだ顔で言い繕《つくろ》う。

「わ、わざとやないって、主将。偶然あたってもただけや」

「嘘つくんじゃねえっ。うちの部員になにかあったらただじゃ……」

「先輩。たぶんほんとです。故意じゃないです。落ち着いてください。おれ見てましたから」

拳を握って腰を浮かしかけたが、棺野に肩を押さえられた。後輩に冷静に諌《いさ》められ、歯軋《はぎし》りしながら仕方なく腰を落とした。

「平気です……ちょっとコンタクトずれただけです」

灰島がのろのろと身を起こした。声は若干掠れているが滑舌ははっきりしている。大事はなかったようで小田は胸を撫でおろした。

「はずしてきます。痛《いて》え……」

右目を押さえながら灰島がふらついた足取りで体育館をでていくと、そのまま余興はお開きの空気になった。一応判定はBチームの反則で、15－10となりFチームが勝利したが、まあ勝敗などもうどうでもよくなっていた。

トラブルの動揺もあって全員の集中力が切れてしまったので、今日はもう残りの練習は流し気味にした。なにより小田自身の集中力がとっ散らかっていた。もっと余裕を持って構えていなけりゃいけない立場なのに、主将なんて本来自分には荷が勝っている。チームを率いるなんて柄じゃなくて、おれはただのわがままで、ただ……打ち屋でいたいだけだったんだ。人よりなるべく高いところで、ねじ伏せるのが好きなだけだ。

灰島とのコンビの快感がまだ残っていた。身体の芯から右手の指先に向かってほんのりと痺《しび》れたような感覚がある。

あいつが欲しい——県大会で負けてから今ひとつエネルギー切れを起こしていた気持ちに、小さな、しかし濃度の濃い燃料がぽとんと投げ落とされた。

*

練習を早めに切りあげて解散にし、大隈たちラグビー部軍団も引きあげていった。あいつらがいなくなると急に涼しくなったなあと思いつつコートを見ると、灰島がネット前に立ち、なにやらしげしげとネットを見あげていた。

「身体平気か？ 違和感残るようやったら検査行けや。このへんの病院わからんかったら付き添うし」

「そこそこ慣れてるんで」

「バレーであんなラフプレーそうそうないぞ？」

「いえ、外で」

「……？」ああ、コートの外で、か。こっちで文章を補完しないといまいち会話が繋がらない。

こいつの場合はどう考えても口の利き方がトラブルを呼んでるんだろう。あの青木に手を、いや足をださせるくらいだからあっちこっちで逆上を誘っていても不思議はない。

「これ、二・四三ですよね」

「ん？ あっ、ほんとや、なんで気づかんかったんやろ。今日は部の練習やないで四十で張れって言っといたのに……。ほうか、今日ずっと四十三でやってもてたんか」

　球技大会では男子は二メートル四十センチのネットでやることになっている。県内の公式戦と同じ高さだ。県より上の大会、地方大会や全国大会になると一般男子と同じ扱いの二メートル四十三センチになる。

「四十三で普段練習してるんですか」

「ああ、どうせ春高《はるこう》ではこの高さでやることになるしな」

　灰島が若干驚いたようにこっちに横目をよこした。

　夏の高校総体《インターハイ》、秋の国体に続いて高校バレーの三大全国大会の最後のピースを埋める大会が〝春高バレー〟だ。三大全国大会の中でもひときわ華々しく開催されるこの大会は、バレーボールをやっている高校生にとっての甲子園に喩《たと》えられる大舞台だ（小田としてはこの喩えはしたくないのだが。野球を基準にしなくても、春高は春高なのに）。三月に開催していたものが一月に期を移してからは三年も出場できるようになり、三学年が揃って臨む最後の大会となる。

　春高においても県予選は二メートル四十だが、東京で行われる全国大会本戦は二メートル四十三だ。

「おかしいか？　うちみたいな零細部が春高を口にするんは。ほやけどおれは恥ずかしいことを言ってるとは思わん」

口幅《くちはば》ったいと人に思われようが小田は本気だった。今のメンバーなら、そこに灰島が加わってくれれば、決して夢物語ではない。現実的な目標だ。

灰島が再びネットに目を戻し、

「……いいんじゃないですか、そういうの」

と、ぽつりと言った。片手を伸ばしてネット上端の白帯《はくたい》に触れる。二メートル四十三センチは、わかりやすいものを挙げるなら家の天井と同じくらいの高さだ。一六三センチの小田では背伸びをしただけで届く場所ではない。それに容易に指をかけられるのが羨《うらや》ましくて、変な話、見入ってしまう。

「これが……春高の高さか」

あ、笑った……。それまでの鉄面皮と打って変わってその顔は純粋に輝いていて、こんな表情をする奴だったのかと驚いた。決してあけっぴろげな笑い方ではない。強烈な光が薄いカーテンで覆われて柔らかく拡散されたような……四月の練習一日目、同じものを見あげて目を輝かせていた黒羽の顔と、ベクトルはぜんぜん違うのに重なった。

灰島に感じていた苦手意識が、試合を通じていつの間にか薄らいでいた。

「なあ、今日おまえとやれて、おれはすげぇ楽しかった。おまえもちょっとは楽しかったやろ?」

「小田さんは運動神経いいですね」

小田さんという呼ばれ方が耳慣れなくてむず痒《がゆ》い。しかも標準語だからまるでテレビの中から呼ばれてるみたいだ。でも、いいな、こいつにそう呼ばれるのって。

「タッパがないぶん運動量で補ってる。パワーもあるし。空中で身体が伸びるのも、あれいいですね」

二ヶ月前はこきおろしたくせに、あっさり覆して認めてきた。傲慢なのか素直なのか……変な奴だ。

やっぱり言葉でどうにかしようとするよりもまずコートに引っ張りあげられたのがよかったのかもしれない。なんやろ、こいつに認められるとなんかすげぇ、嬉しいな……誇りが胸に満ちる。無意味なことを続けてきたわけではなかったと思うことができる。

「入ってくれんか、灰島。一人でやってたかってつまらんやろ。ほやで球技大会でもバレー選んだんやろ？」部に所属しておらずとも練習を続けていたことは疑いようがない。去年の夏からブランクがある奴があんなに動けるわけがない。

頷いてくれることを期待したのだが、灰島はむすっとした顔になって足もとのコートに視線を落とした。シューズのつま先を子どもっぽく床に突く仕草が歯痒くて小田は苛々してきた。やっかみもあった。おれと違ってなにも考えずにバレーに邁進《まいしん》すればいいだけの奴が、いったいなんだってこんなところでぐずぐずしてるのかと。

「小田さんも態度変わります。おれはなんか、煙たがられるから。おれがセッターやってる限り……」

――〝なんでそのポジションにしがみついてるんですか〞

以前吐き捨てられたあの言葉は、小田に対する蔑《さげす》みではなかったのではないかとふと思った。もしかしたら灰島自身が抱えているものだったのではないか……？　バレーの神様に選ばれたようなこのバレーセンスの塊でもそんなふうに思うのか？

「ん？　あんたらなに隠れてるんや」

と、静かだった体育館に末森の声が響いた。

体育館の隅で模造紙を広げて星取り表の制作に勤《いそ》しんでいた末森と棺野が顔をあげて戸口のほうを振り返っている。鉄扉の陰から中を覗きみていた二つの頭がびくっと揺れた。

「片づけ手伝いに来たんやろ？　ほんなら早くやろっせ」

末森がきびきびと立ちあがり、棺野が静かにそれに続く。二人組がおずおずと身を晒《さら》したものの、戸口で立ちどまって入りにくそうにしている。黒羽と長門だ。灰島が纏《まと》う空気が瞬時に強張った。同中《おなちゆう》バレー部の出身者が揃ったか。

「先輩、灰島もしかして入部するんですか？」

言ったのは長門である。口にはださずとも歓迎していない顔だ。おまえもなにか言えよというふうに黒羽の肘を引っ張るが黒羽は曖昧な顔で目を逸らしている。

「入ってもらいたいと思ってる。説得中やけどな。なんか不都合があるんやったら言ってみいや」

小田はあえて不機嫌を隠さず、ここは主将の威厳を押しだして声を張った。遠回しに人を排除しようとするような態度は小田がもっとも腹立たしく思うものの一つだ。

「入らないから安心しろよ」

ところが横から灰島自身が口を挟んだ。柔らかくなりかけた口調がまたつっけんどんに戻っていた。「おれは片づけ参加する義理ないですね」とぞんざいに断って一礼もせず鉄扉に足を向ける。黒羽と長門をあきらかに避けてもう一ヶ所の鉄扉のほうにだ。すこしは距離を縮められたと思ったところだったのに、振りだしに戻されて小田は頭を掻《か》きむしりたい思いで、

「長門の意見はわかった。黒羽、おまえは？」

「えっ？」

黒羽がびくりと跳ねて気をつけの姿勢を取った。

「お……れ、は……」

ぎこちなく横目で灰島のほうを窺い、なんだか泣きそうな顔で目を伏せた。でかいくせにこいつは中学生どころかときどき小学生みたいな表情をする。一瞬足をとめた灰島が再び歩きだした。さっきより早足になっていた。

ひょろりとした長身が鉄扉の向こうへと消えてから、それを待ちかねたように長門が口を開いた。

「小田先輩はなんも知らんでや。灰島が入ったりしたら祐仁はまじでもう公式戦でれんくなりますよ。こないだの負けやったかって言ってみれば灰島のせいで……」

「亮、やめろって。関係ねーってそれは」

黒羽が顔を赤くして長門をとめた。しかし声に力はなく本気で否定しているふうでもない。

声色を険しくして小田は問うた。

「どういう意味や？」

5. READY FOR SUMMER

カロリーメイトを口に突っ込みスポーツドリンクのペットボトルを手に提《さ》げて体育館近くの便所に駆け込むと、青木とばったり遭遇した。小田の顔を見て青木が一瞬目をみはり、苦々しい顔で注意してきた。

「ほーゆうんはやめろや……おれ的に」

「しゃあないやろ。飯食う時間も便所行く時間もなかったんや」

カロリーメイトが唾液を奪い取って口の中にくっつく。まだ残りが入っている箱とペットボトルを小便器のてっぺんに置いて青木と並んだ。

コートサイドで副審を務めた直後に自分のチームの試合に飛び込み、終わり次第同じコートでまた副審を務め、さらには男バレ部門全体の進行に目を配って出場者をサポートし他の部員に指示をだし……昼休憩を取る暇などなかったのは言うまでもなく、朝からずっと便所にすら行かせてもらえなかったのである。それでも小田は体育館だけ見ていればいいが、青木はそれに加えて実行委のテントからしょっちゅう伝令が走ってきて引っ張り戻されていく。青木とまともに会話する時間ができたのも今が初めてだ。

いよいよ清陰球技祭当日である。幸いにもここ数日は梅雨の晴れ間に入り込み、屋外種目にも支障のない開催日となった。むしろ天候に恵まれすぎて七月並みの気温に達し、実行委が口酸っぱく熱中症への注意を喚起している。

男子バレーボールは体育館のステージ側コートにて、グループリーグ六ゲームのうち四ゲームまでなんとかつつがなく終えたところだ。下馬評どおり第一グループから青木率いるCチームが二勝、第二グループから小田率いるFチームが二勝し、決勝戦でぶつかることがすでに決まっている。残る二ゲームは勝っても負けても予選落ちのチームどうしの消化試合になるが、勝ち点に応じてポイントが入るので総合優勝の行方はまだわからない。

「大隈をセンターに育てたらおもろそうやな」

隣で用を足しながら青木が言った。視界の端に見えるのは相変わらず青木の肩だ。

「大隈はラグビー部やろ」

「まあちょっと思っただけや。ああいうゴッゴツした奴が一人いたらうちももうちょい強そうに見えるやろ？　末森さんに男バレは軟弱やって言われたしなあ」

「見た目の問題なんけ」

「見た目で怖そうなんも大事やぞ？」

そう言う青木はたしかにまあ、校内でも最高クラスの長身を誇るものの〝でかい〟というより〝長い〟ので見た目はごつくはない。高さと器用さが特徴のセンターだ。大隈は青木とは違うタイプのセンターになりそうではあるが……。

「まあ大隈のことはいいやろ。ほれより欲しいんは灰島や」

「灰島にえらいご執心やなあ」

「あのプレー見て惚《ほ》れん奴がどこにいる？　おまえかって二試合見てたやろ？」

「上手いんはようわかったけど、ほんだけじゃ駄目やろ。あれで声だしてチームを盛りあげるようなキャラクターやったらいいんやろけど、あいつはそういうんとは正反対やな。おまえのチーム、素人メンバーが引いてえんけ？　こーゆうイベントにはやっぱ大隈みたいな騒がしい奴がいてくれたほうがいいな」

「灰島よりも大隈が欲しいっちゅうことか、おまえとしては。おまえはなんか灰島に冷ややかやないけ？」

つい不機嫌な声になる。青木の客観的な視点というのもわかる。だが客観的に言われればこそ臍《へそ》も曲がるというもので。

「ん？　いや」

青木の声が軽くなり、肩が若干こちらを向いた。

「球技大会の話やぞ。部の主将はおまえやで、おまえが欲しいっちゅうんやったらおれに異論はないし、協力する。なんやったら灰島がどーしても断れん弱味くらい摑《つか》んでくるし」

「ほーゆう裏工作はいらんって」

横目で睨むと「冗談やっちゃ」と笑い声とともに肩が揺れた。冗談みたいなことをこいつは実際にやるから怖いのだ。

「弱味なんて握らんでも、灰島は入るって。問題なんは黒羽のほうかもな。今日は今んとこ調子はよさそうやけど、決勝で灰島と顔あわしたらどうなるんかが読めん」

「マッチアップさしてやりゃいいやろ。一年坊主の確執なん、一回思いっきり殴りあいでもさして本音言いあわしたらすっきりするんと違うんけ」

腰を軽く上下に振りつつ青木は気軽なことを言い、モノを収めて小便器を離れた。

おれとおまえの場合はその、殴りあって本音を言いあうっていうプロセスをやり損ねたまま今に至ってるわけだけどな……。ペットボトルのラベルの中を横切って消えていく長身のシルエットを小田は物言いたげに見送った。

青木と意見が分かれることはあっても、いつも本気の衝突には至らず躱されてしまう。他の者には必要とあればいくらでも舌鋒《ぜっぽう》鋭く攻撃するくせに、小田に対しては青木のほうが一歩引くのである。灰島の獲得になにか気に入らないことがあるなら意見を引っ込めてくれなくていいのに。副主将の意見を尊重しないほどおれはワンマンじゃない。

そもそも自分が主将に決まった経緯に小田は未《いま》だに納得していなかった。主将だからと青木が自分を立てるたび逆に劣等感を刺激される。

一つ上の代が引退するとき、次期主将には青木が指名される予定だった。穏和で冷静で、チーム全体に目を配ることができる。当然の人選だった。

同時に小田はアタッカーからリベロへの転向を勧められた。身長の低い者にも活躍の場を開いたのがリベロ制の導入だ。後衛のプレーヤーとのみ交代でき、前衛でのスパイクやブロックには参加しないが、レシーブのスペシャリストとして現代バレーにはなくてはならない重要なポジションである。先代に悪気があったわけではなく、むしろ小田が誰よりもバレーに情熱を注いでいることを知っていたからこその提案だった。

ところがそのタイミングで青木が生徒会に飛び込んだ。小田が主将をやらざるを得ない状況をわざと作るかのように――生徒会の要職と部活動の主将は両立できない。だから青木は主将を引き受けられない。そして現行ルールでは実質的にリベロは主将になれない。つまり、小田が主将をやるしかない以上リベロには転向できない。アタッカーのポジションから引き剝《は》がされることを小田は本心では屈辱に感じていた。青木はそれを察していたから。

なんなんだおまえは。それは同情か、背が伸びなかったおれへの。でかい奴の余裕ってことか。腹が立った。しかしそんな醜い感情を青木の前で曝《さら》けだすことができず、結局そのときも本気の衝突にはならなかった。入学以来続いてきた居心地のいい関係が、なんだか逆に壁を作ってもいて、今さら感情をぶつけあうのも気恥ずかしいような空気があるのだ。

誰よりも気のおけない親友であり信頼できる相棒でありながら、青木に対して変にねじれた鬱屈《うっくつ》も自分は抱いているのだった。

気まずいのでわざと青木と時差を作って便所をでたのだが、体育館の手前の渡り廊下に長細い後ろ姿がとどまっているのが見えた。その向こうから末森が顔をだし、だし抜けに咎《とが》める口調で言ってきた。

「小田先輩、なにのんびりトイレ入ってるんですか。こんなとこで待たせんといてください」

「待っててくれって言った覚えないが……。用事やったら声かければよかったやろ」

「男子便所になんか近寄りたくないです」

便所から持ってでてきた飲食物が汚いもののような気がして小田はさりげなく手を後ろにまわした。前からほんのり思っていたのだが末森は男嫌いなんだろうか。しかし棺野とは普通に喋っているように見えるが。

「で、なんや？」

「老先生がぶっ倒れたんやって」

末森にかわって青木が答えた。

「なんやって⁉」

男子バレーボール部の顧問は、老先生などと青木が呼ぶとおり年配の教師である。一度定年を迎えてから嘱託《しょくたく》で再雇用されたと聞いている。学生時代にバレーをやっていたらしいが当時と現代とではバレーボールという競技の形態もだいぶ違うはずだ。自分たちの世代からすると化石のような存在である。

顧問には朝から休みなしで全試合の主審をやってもらっている。現役高校生の自分たちですらぶっ倒れそうなめまぐるしさなのだから老体には余計に厳しかろう。

体育館の温度もあがっているため暑さでのぼせたらしい。大事はないとのことだったが、審判台が空席になってしまった。試合はまだ三つ残っている。グループリーグの残り二試合は小田と青木のどちらかが主審を務めればいいが、問題はCとFがぶつかる決勝だ。他の係もぎりぎりの人数でまわしているのでとても余っている手はない。

「まあおれがやるでいいわ」

迷ったふうもなく青木が言った。

「おまえは試合でるやろが」

「おれはもともと運営優先で、手が足りんとこあったら抜けてそっち行くつもりでいたでかまわんけど……ああ、自分のチームがでてる試合の主審やるんが問題ってことけ」

「それは別に、うちに異議はないけど、ほーでなくてなにもおまえが抜けんでも」

「ほんなこと言ったかって、他にえんやろ。棺野はせっかくやで試合だしてやりたいし、黒羽をわざわざ抜かす理由もないし。経験者二人ずつになって逆にバランスいいんでないんか」

「三対二でも負けんっちゅうの。ほーでなくて……おまえがでんかったらおもろないやろ……」

全員でフォローしあわねばならないときに自分だけがガキっぽい駄々をこねている気がしてだんだん声が小さくなる。頭の上で青木と末森が困ったような視線を交わすのがわかっていたたまらない。だが青木のあっさりした割り切りようがやっぱり気に入らなかった。対戦を楽しみにしてたのはおれだけなのかって……。

「ほんならちょっとおもろくしよっせ」

軽妙な口調で青木が言いだした。訝しんで目をあげると、青木は口の端に薄笑いを浮かべつつ思案顔をしている。なにか仕組もうとしてるときの顔だ。

「賭け試合にせんけ? Cが勝ったら大隈を男バレに取る。Fが勝ったら灰島を取る。ハッキリさせせんとおまえが納得いかんみたいやし、これでお互い恨みっこなしってことにしよっせ」

「おまえがでんのがおもろないっちゅう話やろ。だいたい取るって言ったかってなんも本人たちの了承……」

「大隈はおれが説得する。もちろんCが勝ったらやけどな。Fが勝ったらおまえが灰島を説得する。ただし負けたら灰島のことはきっぱり諦めるんやな。——黒羽」

ふいに青木が声を張った。渡り廊下の体育館側の鉄扉からひょこっと顔をだしていた黒羽が「むぐ」とかいう声をだして首を竦《すく》めた。

「おまえも長門と一緒で、灰島に入って欲しないってことでいいんやな? 今の話聞こえてたな。ほーゆうことやで、全力で叩き潰せ。この試合、公式戦のつもりでやれ」

＊

決勝の主審は青木。副審、点示、線審二名に、試合に出場する以外の部員がフルで入った。線審の残り二名とボールリトリバーは末森を含めた女バレからのヘルプ。

夕方四時を過ぎているが、昼間の陽射《ひざ》しに炙《あぶ》られた屋根から熱がおりてきて屋内に溜まっている。風のないコートは暑さだけでなくなにか異様な重苦しい空気にすっぽりと覆われていた。

コートを囲んで各々の立ち位置についた部員たちはコート内に漂う単なる校内行事を超えた妙な緊張を感じ取っており、表情を引き締めている。青木だけはいつもどおり肩の力が抜けた表情で、なにを企んでいるのやら。ただでさえのっぽの青木が審判台に立ってコートを俯瞰《ふかん》する様はなんだかもう〝塔〟だ。

壁際やステージ上にはそこそこの観客が集まっていた。二階の高さに設《しつら》えられたギャラリーにも運動着姿の生徒たちが鈴なりになっている。フットサルおよびソフトの決勝とも重なっているためそっちに観客を取られるかと思いきや、冷やかしに来た者が案外多いようだ。仕切りネットを挟んでもう片面のコートでは女バスの試合が行われている。バレーのボールとは別種のボールがランダムに跳ねる音が耳に障る——自分も少々神経質になっているかもしれない。両肩を上げ下げして余計な力を抜く。立っているだけですでに汗が流れてきている。

じゃんけんでFチームがサーブ権を取った。灰島が後衛ライトでサーブ、小田が対角の前衛レフトからのスタート。対するCチームのスターティング・オーダーは棺野が前衛ライト、黒羽が対角の後衛レフト。経験者二人を対角に置き、残りの素人を挟んでフォローするという、両チームとも王道の布陣を敷いている。

レセプション（サーブレシーブ）に備える黒羽がやけに何度もTシャツを引っ張って顔の汗を拭《ぬぐ》っていた。足の動きが重く見えるのは気のせいではないだろう。いつもはコートに入れば用がなくてもぴょんぴょん跳ねているくせに、今は足が床に張りついている。相当緊張してるなあれは。グループリーグより格段に観客が増えたこともひと役買っているのは間違いない。

この試合、どうなるんだ？　男バレ主演の茶番劇になったような、そんな心地を抱えつつ、しかし無論わざと負けたりはしない。勝ちに行く。校内試合のたった一敗で灰島の獲得を諦めるなど論外だ。だったらこんな賭けなど受けなければよかったわけだが、売られた喧嘩《けんか》を買わないというのも小田にとっては論外である。

サービスゾーンに向かう灰島を呼びとめると、灰島が振り返って訊いてきた。

「もういいんですよね」

「ああ。思いっきりやっていい」

灰島の中のセーフティロックが外れる音を聞いた。前の二試合、灰島にはジャンプサーブの使用を禁じていた。素人チーム相手では試合にならなくなるし、下手に顔にでもあたったら怪我をさせる危険もある。

「……十一ヶ月」

低い声で灰島が呟《つぶや》き、ネットの向こうのある一点に視線を投げて目を細めた。

「ちょっとは上手くなったか？」

うっすらと笑っていた。この暑さすら取り込んで自分の中の熱の一部に変えるかのように、瞳の奥が滾《たぎ》っている。闘志を刺激されて小田も全身が震えるのを感じた。

見てろや……青木を睨みつけたが、審判台の青木とは目があわなかった。


灰島のジャンプサーブはバレー初心者の観客たちの目すら惹きつけた。左手にボールを載せ、腕をまっすぐ前に伸ばした構えで静止する。見ている者に息を呑ませる、一拍の凜《りん》とした静。天井に向かって回転のついた高いトスがあがった瞬間おおっとどよめきが起こる。

空中を舞うかのような優美かつ端正なフォームから、ずばんっとキレのあるジャンプサーブが放たれた。フォームのスマートさに反して灰島のサーブはけっこういやらしい。左打ちのせいもあって独特のねじれスピンがかかっており、レシーブするほうが半端ないプレッシャーを受けるのだ。歪《ゆが》んだ弧を描きつつ、後衛で構える黒羽の守備範囲を正確に狙う。サーブレシーブが得意とは言えない黒羽が慌てた顔をしつつなんとか腕にあてた。幸いにも大きくあがったのでチームメイトが真下に入って待ち構える。誰が打ってくる？　受けた黒羽が自ら打ってくるか？

「ライト！」

と、審判台から指示が飛んだので仰天した。

おい待て⁉　そんなのありか⁉

ライトの棺野にトスが送られる。小田ははっとしてブロックに跳んだが、クロス打ちの角度から棺野は器用にインパクトの芯をずらしてストレートに変えてきた。ちっ、上手い……。針のように鋭いスパイクが狭いコースを抜けていった。

着地しながら振り返ってボールの行方を追う。サイドラインのボーダー上だったのではないかと思うが線審の長門は迷わずインを示している。音を立てずに着地した棺野にかわって「ぃよし！」と、コートの外から気合いの声をあげたのは……末森だ。心情的に敵側についてる者が係員に多い気がするんだが……？

Ｃチームに最初の一点が刻まれた。

「おい、主審が指示だすってどういうことやっ」

審判台に噛みついたが、

「異議があればあとで記録用紙に書き込んでくれ」

などと青木はしれっと言って、Cチームのサーブを促すホイッスルをはやばやと吹いた。球技大会でわざわざ公式戦で使うような記録用紙なんて用意してるわけがない。

「一本で切るぞ、灰島」

憤慨しつつ審判台に背を向け、自分の気を落ち着けるためにも声にだして言った。ところが灰島は不機嫌そうに「守備上達してねーじゃん」とぶつぶつ独りごちているだけで、まわりの雑音も係員の微妙な行動も意に介していないようだ。コートに入ってからの集中力の凄まじさには驚愕するが……前の二試合とは少々様子が違うように感じた。意識が一点だけに集約されすぎていやしないか。

灰島が視線を注ぐ先で黒羽が相変わらずやたらと汗を気にしながらきょろきょろしている。灰島と反比例するかのように集中力が散漫になっている。完全に青木の暗示が悪いほうにかかってる顔だ。

Cチームは青木の指示で（っていうのが腑に落ちないが）棺野にボールを集める作戦を敷いてきていた。黒羽が打つ場面はすぐには巡ってこなかったが、それでも序盤3－3——ローテーションが三つずつ動き、黒羽が前衛ライト、灰島が前衛レフトでネット越しに正対したところで、その場面が来た。

棺野から黒羽へと、このセット初めてのトスがあがった。

灰島の指示でブロックが三枚つく。後衛の小田がフォローに備える。「すげぇ跳ぶな、あいつ⁉」と、ネットの上に余裕で胸まででる黒羽のジャンプ力が観客をわかせる。空中で全身を弓なりに反らしてテイクバックが完成し、つがえた矢を放つように、身体をくの字に折って腕を振り抜く。これぞバレーの華といった豪快なスパイクフォームはいつもどおりの黒羽だが……あいつ、ブロッカーをぜんぜん見てない。ボールはネットを越えず、白帯に引っかかってCチーム側に落ちた。

Fチームが4－3と勝ち越したところで、

「タイム」

主審がタイムアウトを要求した。

おい……聞いたことねえぞ。

「なんであの癖が未だに治ってないんですか」

コートサイドに集まるなり灰島が突っかかってきた。Cチームのほうは青木という塔を囲んで輪を作っている。だからなんで主審が審判台からおりてきて一方のチームのべンチにいるんだ。こめかみを引きつらせてそちらを睨みやってから、小田は灰島に向きなおった。

「四月に入ってきたときにはもうあれで固まってたんや。練習試合やったらなんも問題ないんやけど、プレッシャーかかる試合やと必ずああなるで、正直公式戦では使い物にならん」

去年の県中《けんちゅう》、小田は二日目しか行かなかったので、一日目しかでていなかったらしい黒羽についてはノーチェックだった。入部当初は思わぬ掘りだし物が飛び込んできたと単純に胸をはずませた。五月の練習試合で使った際には実際なんの問題も発覚しなかった。発展途上といった感じでムラはあったが、勢いのあるプレーが見ていて気持ちよく、不思議と人好きのするキャラクターも手伝ってチーム全体を活気づけた。灰島の獲得には至らないままだったが、アタッカーの布陣はこれで整ったと確信を深めて、六月頭の県大会——。

バレーの神はどうやらこっそり落とし穴を掘っておくのが好きなようだ。おかしな癖がではじめたのだ。ブロックにつかれたスパイクをことごとくふかして、自らアウトにするか、またはネットに引っかける。フォームが崩れるわけではないのだが、決まらない。本人に訊いてもどこかふわっとした、地に足がついていない顔で、自分でもなんでこうなるのかわからない、と答えを濁す。

床を焦がしそうな目つきで足もとを睨んで灰島が呟いた。

「そんなとこで躓《つまず》いてんだよ……」

灰島、それはおれがおまえに感じてることと一緒だ、と小田は思う。おれに言わせたらおまえら二人とも羨ましいし、見てて歯痒くてしょうがない。

「なあ、あいつをどうにかしてやってくれんか。長門の話やと県中の二回戦に原因があるらしいな？」

この際強引にでも灰島に一歩歩み寄らせる建前を作ってやればいいんじゃないか。そう思ってこちらから仕向けてみる。

「県中の……？」

灰島が顔をあげて眉をひそめた。

「デビュー戦で失敗してもて、いきなり潰れる選手ってのはたまにいる」

「おれのせいだって言うんですか。だってっ……」

一瞬だけ声が撥《は》ねあがった。すぐにむすっと口を閉ざして再び俯き、腹の前で指先のテーピングをいじる。周囲に心境を読ませるような癖がない選手だと思っていたのでそんな仕草が意外だった。

「どうすればよかったんですか……おれは、待ってました、あの日……でも、来なかったのはあいつです……」
薄い、けれど硬い殻のようなものにふと目の前を遮られたような気がした。

＊

タイムアウトがあけても黒羽のプレーは冴えなかった。バレー部員のブロックならまだしも、自身よりも軽く十センチは背の低い素人がネットの前に立っているだけでブロッカーを気にしてミスる有様だ。本当にまったく、いいときは最高にいいのに、一度歯車が狂うとどんどん勝手に崩れていく。正直もう引っ込めてやったほうがいいんじゃないかと思うが、Cチームキャプテン兼主審（この兼任がどう考えてもおかしい）の青木は交代させる気はないようだ。

黒羽がミスるたびに灰島にまでフラストレーションが溜まっていくのが目に見えてわかった。それでも灰島が黒羽と違うところはプレーだけはブレない、というかむしろ恐ろしくキレがよくなっていく。必ずしもいい意味ではなく、チームメイトのちょっとしたミスまで全部一人でカバーしてしまうので素人たちを蚊帳《かや》の外にやってしまっていた。灰島の全身から放たれる不機嫌オーラで自コート側の温度だけが一段冷え込んできたように感じた。小田ですら持てあまして灰島に声をかける頻度が減っており、なるほど長門が話していた県中二回戦の空気が今なら想像できた。

自分たちが授かった宝物のありがたみをぜんぜん理解していない二人にもどかしさが募る。この二人だったらこの先も間違いなく十年二十年スパンで一線に立てる。それだけ高いフィジカルのポテンシャルがあれば人間的にももっと余裕を持てるだろうというのは、一年坊主に求めすぎなのか？　だが、この二人くらいのポテンシャルがもし自分にあったら、絶対に無駄遣いはしない。精神的支柱としてチームを盛りあげるとともに盤石《ばんじゃく》の決定力で信頼されるスーパーエースに……そんな選手には自分はもうなり得ないとわかってはいても、未だに夢見てしまう。

十五点制は思った以上に短い。灰島が後衛から前衛にあがるローテーションとなり、ネットを挟んで黒羽と二度目にマッチアップしたときには、第一セット終盤に入っていた。黒羽は見るからに及び腰でネット前から退いて縮こまったようなレシーブの構えを取る。そんな黒羽の醜態《しゅうたい》をネットが焼き切れるんじゃないかという眼光で睨みながら、たぶんこのとき、灰島の中のどこかの回路が一本切れた。

サーブは小田だ。二人のことにばかり思いを囚われていたので狙いが曖昧になり、甘いボールを相手コートの真ん中に落とすことになった。あー今日は黒羽以上におれにいいところがないかもしれないと自分にうんざりしながらコートに駆け戻った、そのときである。

「打ってこいよ、黒羽！」

灰島が怒鳴った。声がけがすっかり減っていたコートに突如灰島のよく通る声が突き抜け、自チームの全員がびくっとした。

一巡目と同じく棺野から黒羽へトスが飛ぶ。ほとんど脊髄《せきずい》反射なのだろう、黒羽がはっとしたように助走をつけて踏み切る。灰島がぴたりとブロックにつく。

しかし今回もやはり黒羽のスパイクはブロックに阻まれる以前にネットすら越えなかった。

ネットを挟んで二人が同時に床におり、刹那《せつな》、

「おまえふざけんなよっ‼」

灰島が叫ぶなり床を蹴り、ネットの下から向こうのコートに飛び込んで黒羽にタックルをかました。信じがたい事態に小田はレシーブの構えのまま固まって動けなかった。野球中継ならともかくバレーの試合で乱闘なんて見たことない、ていうかあいつがああいうキレ方する奴だったとは思わなかったぞ⁉

自チームの者はみな唖然とし、相手チームの者はぎょっとして飛びのいた。コートの中央まで黒羽を吹っ飛ばすと灰島はそのまま黒羽に馬乗りになり、背中を打って咳《せ》き込む黒羽の胸ぐらを摑みあげた。

「逃げんな！　一発くらいまともに打ってこい！　球技大会程度で緊張してるくらいな

ら向いてねえよ、やめちまえ！」

鼻先に噛みつかんばかりに怒鳴る。黒羽の背が床から浮く。

「ちょっ……やめろ、灰島っ」

我に返った小田も慌ててネットをくぐった。

灰島を羽交い締めにしようとしたところを「先輩」と、棺野が身体を割り込ませてきた。小田を押しとどめながら棺野が審判台に目配せをした。小田が目を剝《む》いて審判台を振り仰ぐと、青木がポールのてっぺんに寄りかかり、床に倒れた一年二人を見おろしてにやにやしている。

〃一回思いっきり殴りあいでもさして本音言いあわしたら〃——便所での会話が頭をよぎった。

はあ？　まさかおまえ、これを予想してたとでも⁉

「そりゃ緊張するわ！　球技大会程度でもじゃ！」

やられるままかと思った黒羽が、意外にも灰島の手首を摑んで怒鳴り返した。

「うまいこと負けなあかん試合なんて初めてやで、そういうんはおれ、やり方わからんで、そりゃ向いてえんわっ」

「どういう意味……」

灰島が絶句する。黒羽のほうも続きを言いよどみ、至近距離で灰島を睨みつけたまま唇をもにょもにょさせる。と、ふいに目を伏せ、顎《あご》を引いて、胸の前で摑んだ灰島の拳に額を押しつけた。祈るような仕草にも見えた。

「……だって、負けたらおまえ、戻ってきてくれるって……。なあ、もういいやろ……。戻ってこいや……」

戻ってこい。

小田の立場では思いつかない言葉だったし、言えない言葉だった。建前なんか作ってやる必要はなくて、こんなに拙《つたな》い、まっすぐな言葉があればよかったのかと気づかされた。

灰島は憤りのやり場を失ってただ戸惑ったような顔をしていた。まっすぐにぶつけられた言葉が頑《かたく》なな心にうまく入ってこないという顔で、小田をまた歯痒くさせる。

「灰……」

黙っていられずに口を挟もうとしたとき、
ぷぽー。

とかいう間が抜けた笛の音が頭の上で鳴らされた。

「あー、そろそろいいか。一応言えたようやし」

審判台から空々しい咳払いと、緊張感を削《そ》ぐ青木の声が降ってきた。

「ほんなら二人、退場な」

と、レッドカードをしれっと掲げて。

「バレーで乱闘なんて前代未聞やぞ。ほれとこっちが寝ずに準備して必死こいて盛りあげてる行事やで、一年坊主風情が球技大会程度とか言わんよーに。報われんわ、まったく」

*

運営テントで総合結果を見届けてから体育館に戻った。仕切りネットが取り払われて掃除も済んだ体育館はがらんとしていたが、男バレの試合が行われていたステージ側コートにだけネットとポールがまだ残っていた。まるでネットだけがまだ試合が終わったことを認めるまいとしているかのように。コートを包んでいた決勝の熱気も今はもう夕方の空気に冷やされて、急に物寂しく感じられた。

ネットの前に立っている人影があった。目の前のネットと同じくまだ試合を続けたがっているみたいに、まあ一セットで退場させられたんだから暴れ足りないのも仕方ないだろう、身体の横におろした両手のテーピングはまだ解いていない。

「灰島」

呼びかけに背中がわずかに反応したものの振り返ろうとはしない。マイペースだなと小田は苦笑しつつ近づいていった。

「ネット片してもらえんかったんか」

「残しといてもらいました。おれ片すんで」

一週間前のチーム練習初日のときのように、灰島は顎を持ちあげてまっすぐな眼差しをネットの白帯に向けていた。窓から射す陽も弱まって屋内はだいぶ薄暗くなっていたが、瞳の中には光が見えた。物足りなさを抑えきれないような、灰島自身の内に滾るぎらぎらした光が。

「二・四〇でやるんじゃなかったんですか」

「ああ、決勝だけ二・四三にあげさしたんや。経験者がっつり揃ってる試合やったでな」

ネットに手を添えて横に撫でながら小田はコートの端まで歩き、ポールに手をついた。防護マットははずされていたのでひやりとした金属が直《じか》に手のひらに触れる。古びたブロンズ色のポールの表面には緑青《ろくしょう》が貼りついてざらざらしている。

「部の打ちあげでファミレス行くで、六時半に校門に集合な。三年の奢《おご》りやで安心しろ」

「おれを数に入れないでください」

迷惑そうに言い返された。まだ理由が足りないのかと小田は溜め息をつく。こんなにもわかりやすくバレーがやりたくてたまらないっていう渇望を放出してるくせに、いったいなにがこいつの中のブレーキになっているのか。紋代中での件とは別に、まだなにかあるのか？　基本的に傍若無人で人の気持ちなど意にも介さなそうな奴が、なにかが起こることをあきらかに怖がっている。

「なあ……バレーっちゅうんはほんと人を選ぶスポーツやな。まあなんやったかってそれぞれあるんやろけど。一人じゃボールを運べん競技やで、一人が上手かっても勝てん。前におまえが言ってたな。憶えてるけ」

「ケツ蹴られました」

灰島が恨み顔で口を尖《とが》らせるのでつい思いだし笑いが零《こぼ》れた。ますます灰島にむくれられて小田はすぐに笑いを収めた。

「体格差に露骨に泣かされるっちゅうんもある。残酷な話やろ、おれみたいな奴がどんなに努力したかって……たとえ運動能力も技術も、気持ちも、なんも負けてえんって思ったかって、身長っていう、その一つの要素で、やっぱりでかい奴には勝てん。よりにもよってなんでバレーに嵌《は》まってもたんやろなあ、おれ」

嫌というほど人から浴びせられた言葉を自分で口にした。人に説明したところで今ひとつ共感してもらえず微妙な顔をされるので、最近ではもうその手の話は聞き流すようになっていた。青木にもこれだけはわかってもらえないだろう。おれのこととして理解は示すだろうが、共感はしてもらえまい。

灰島は答えを悩まなかった。変なことを訊くなこの人はとでもいうように小首をかしげて、言い切った。仔牛が生まれたら立ちあがるじゃないですかとでもいうような、生き物のごく自然な営みを口にするみたいな言い方で。

「バレーより面白いものなんて、他にないじゃないですか」

ああ……やっぱり。

こいつなら言ってくれるような気がしたんだ。おれたちにとってのごくシンプルな、世の中の真理を。

自分以外の誰かの言葉が欲しかった。おれなんかでも夢中になっていいものなんだって、誰かに肯定してもらいたかった。おれよりもずっと才能があって、そしてもしかしたらおれ以上にバレーが好きなこの男に、そう言ってもらえたら、おれがバレーに捧げてきた時間は決して無駄ではなかったと信じられる。

世の中にこれほど面白いものが、熱くなれるものがあるだろうか。スパイクを豪快に放ったときの爽快感を。コンビプレーが鮮やかに決まったときの連帯感を。仲間全員で粘り抜いてラリーをもぎ取ったときの達成感を。敵のエースをキルブロックでねじ伏せたときの征服感を。集中力が極まって、チームの心が一つになったとき、ボールの軌跡が途切れない一本の線として鮮明に見える、あの、最高の陶酔を——。

喉もとに熱いものがこみあげてきて、ふと泣きたくなる。だが、泣くのは早い。まだなにも成し遂げていない。

だからかわりに歯を見せて笑った。

「ほやろ？　おれなあ、バレーが死ぬほど好きなんや。これだけは誰にも負けん自信あるぞ」

灰島がくそ真面目な顔で、

「おれも負けません」

と対抗してきたのがおかしかった。

「……灰島。正直に言ってまえば、おまえに入って欲しいんはおれの都合や。おれはもう三年や。ほやけどまだ一試合でも多くコートでプレーしたい。一日でも長く……一分でも、一秒でも長く、バレーをしていたいんや。そのためにおまえの力を借りることはできんか？　おまえの、全力を……」

こんな言い方では逆効果だろうか？　いや、大丈夫だ。この言葉は灰島に壁を作らせるものではないはずだ。こいつはどうやら自分に対しても他人に対しても恐ろしくストイックだが、本気でバレーと向きあっている者を拒絶することはない。究極を言えば上手い下手でも、背の高い低いでもなく、バレーに本気か本気じゃないか——灰島の線引きはたったそれだけなのだ。

だから踏み込むのをためらう理由はない。ドアの鍵をおれは持っている。

本当に右手の中に小さな鍵を握り込んでいるような感触があった。手のひらを開くともちろん実際には鍵は載っていない。けれどそれを見せるように灰島に向かって差しだした。

「おれを信じてくれんか、灰島」

伏し目がちに小田の手を見つめたまま、灰島はしばらく黙っていた。引き結ばれていた唇がほどけ、

「……春高《はるこう》」

と、ぼそっとした声が漏れた。

「……本気で行く気なんですよね。県内でまともに勝ったこともない弱小チームが、本気で行けると思って目指してるんですよね。二・四三のネットは、そのためなんですよね」

目の前のもの全てを刺し貫くような鋭さをもった瞳が、ひたと小田の顔に向けられる。一週間前に小田がちらっとしただけの話が灰島の中にずっと残っていたらしいことに驚いた。が、それだけ強い思いがあることに納得もした。本来であればこんなところでくすぶっているような選手であるはずがない。

バカにしているような言い方ではなかった。逆にこっちがほんのちょっとでも茶化し

たり、答えを曖昧にしたら間違いなく即座に手をはたき落とす気だ。

こいつの前ではごまかしも、なまぬるい本気も許されない。

「ああ。これで役者は揃った。今年の清陰は必ず全国に行けるチームになるって、おれは本気で思ってる」

小田もまた射ぬくような目で灰島の目を見つめ返して答えた。

この手を取ってくれるなら、おれもまた全力で応えねばならないだろう。その覚悟が伝わるようにもう一度力強く繰り返す。難しい理屈は必要ない。きっとこいつの心には、まっすぐな言葉だけが届く。

「おれを信じて欲しい。おまえの全力を、貸してくれ」

＊

「なあにニヤついてるんや。灰島、入るって言ったんけ」

運営テントに立ち寄ると青木が冷やかしてきた。ニヤついてるかなと小田は自分の頬を撫でた。してるかも。

「どうやろなあ。まあ次の練習には来るんと違うかな」

「ほーう。個人的には気に入らんけど、まあよかったな」

などと青木は素直じゃない言い方をした。おまえが仕組んでくれたんじゃないかと小田はあきれつつ、あいていたパイプ椅子を引いてきて青木の斜め向かいに座った。長机に身を乗りだし、刑事ドラマの尋問よろしく顔を突きつけて声を低くする。

「で、どっからどこまでが計算内やったんや。黒羽の前で賭け試合なんか持ちかけたとこからけ？　灰島より大隈に興味あるようなこと言っておれを煽ったとこからけ？　まさか灰島がバレーにでるよう仕組んだんもおまえやったとか言うんやないやろな。まさかと思うけど球技大会自体が壮大な茶番やったっていう……」

「どこの世界の大ペテン師やおれは。買いかぶりすぎや。Fにはもともと優勝してもらうつもりやったし、ついでやで灰島を取り込みつつ涼しい高原に合宿に行きたいなあ……って、おれが考えてたんはそれだけやって。まあ高原合宿の夢は散ってもたけどな。行きたかったんやけどなあ、高原」

第一グラウンドの一角に軒を連ねていた運営テントも今は一つを残して解体され、実行委の下級生たちががやがやと言いあいながら鉄骨やシートを片づけている。どの声にも燃焼し終えたような気怠《けだる》さがあって耳障りには感じない。疲れた身体にむしろ雑音が心地よく沁《し》みる。

グラウンドでは野球部員たちがトンボを転がしていた。バックネット裏の時計塔は六時十五分を示している。空は明度を落とし、灰色の雲がかかりはじめていた。日中は晴天が続いたが、予報によれば夜から梅雨が戻ってくるらしい。雨が近づいている匂いがした。湿気を含んだなまぬるい風が、せっかく汗が引いた腕や身体を再びべたつかせる。

今日の総合結果を集計した模造紙がテントの支柱に貼られている。優勝を巡ってどうも今年は例年以上に熱が入っていると思ったら、優勝チームの総大将に密かに景品がでることになっていたのだそうだ。出資は実行委員会——当然財布を握っているのは青木である。その景品というのが、県内の高原にある民宿の夏休みの団体宿泊権。主要運動部の主将が三年の各クラスに分散しているのを利用して、各チームの競りあいを焚《た》きつけた形だ。

男子バレー部門は小田のFチームがCチームを下して優勝を手にした。主審青木の前半のCチームへの露骨な肩入れはカムフラージュで、一年二人を退場させたあと、後半は公平な判定に徹し——たように見えて、Fチームに有利な判定を巧妙に一つ二つ織りまぜて勝敗を操った。十分にペテン師だろうが……校内行事だからぎりぎり許すが外でこんなことやったら縁を切るぞ。

しかし他種目があまり振るわず、最終的にはFチームは総合二位に甘んじた。高原の民宿は他部に譲ることとなった。

「あーあ、今年の夏も学校でやるしかないんか。冷房ないんはきついんやけどなあ」

「おまえって見かけによらず即物的やな……」

「即物的やない見かけっちゅうんがどういうもんかわからんけど、褒め言葉と受け取っとくわ。まあ小細工で手に入るもんなんてたかが知れてるし、手に入らんもんもいくらでもあるしなあ……」くああ、とでかい口から大あくびが漏れた。

「打ちあげ行くやろ？　今日は一、二年もよう働いてくれたし、ねぎらってやらんとな」

「すまんけどおれは遠慮させてもらうわ。金は折半《せっぱん》でかまわんで。準備の追い込みで三日寝てえんのや」

「三日ぁ？　それでよく二試合でてたな」

「ほやで三試合はきつかったんやっちゃ。老先生倒れてくれて内心助かったと思ったわ」

パイプ椅子の背もたれを軋《きし》ませて深く背を預け、首を反らして左右に傾けるとこきこきと音が鳴る。ご老体に対してその言いようはどうかと思うものの、保健室で小一時間休んだらあっさり回復して教師陣の打ちあげについていったらしいから、青木の労を思えば今日は言わせておいてもいいか。

準備を含めたこの球技大会期間中、小田がただ灰島が欲しいと駄々っ子じみたことを言っているあいだ、部全体のために権力すら使って青木がどれだけ動いてくれていたのだろう。灰島のことにしたって同意しているわけじゃないはずなのに、当たり前のように小田の意を汲《く》んで手を打ってくれた。すっかり意識から抜け落ちていたが夏合宿のことも考えねばならない時期だった。

二年前の四月、一緒に男子バレー部の門を叩いてくれたときから、今まで一方的に助けてもらってばかりだ。生徒会の仕事もあって、おまけに京大を受けるような秀才が、小田と違ってバレー以外にもいくらでもすることはあるだろうに。あの日自分が誘ったせいで——〝青木〟と〝小田〟だったせいで青木の人生に思わぬ割り込みが入ることになったんじゃないかと申し訳ない気がしてくる。

「あー、なんや……ありがとな、いろいろ……」

二年越しで今さら言うのもきまりが悪くて目をあわせられない。目線の格差に今はほっとしてしまう。フォローされるたびに一人で勝手に劣等感を深めるばかりで、今まで面と向かって感謝したことがなかった。まったくおれは、外見《そとみ》だけでなく中身が小さくて駄目だ。

「けど、すまん……もうちょっとのあいだ、おれのわがままにつきあってくれ」

借りはこれからさらに増える予定だ。青木にはまだしばらく受験に専念させてやれそうにない。

「……ほやでなあ、おまえは」

首を反らした姿勢のまま青木がぼやくように呟いた。小田の位置からでは顎がわずかに動くのが見えるだけで表情はわからない。

「おれを買いかぶりすぎなんやって。こっちが後ろめたなるわ。おまえと一緒にバレーやるんがおれが今したいことやで、なんも渋々やってるわけやないぞ。礼言われる義理はいっこもないわ。前から言ってるけど灰島が気に入らんのは完全に私情やで、おれのほうがわがまま言ってただけやし、大学やったかって別に、おんなじとこ行きたいでランク下げたかってかまわんし……基本的に下心で動いてるだけやぞ、おれは」

「下心？」

ぽつっ……とテントの屋根に水滴があたる音がした。テントの外で働いていた者たちが「降りだしたかあ」と天を仰いだ。

「……わからんくていいわ」

キリンがちょうどいい具合の葉っぱを見つけて首を伸ばすみたいなゆるやかな仕草で青木が頭を起こし、あくびをもう一つ嚙み殺した。それからこちらに向かって口の端を吊《つ》りあげてみせ、

「行くんやろ。春高。最後までつきあうわ」

皮肉げな薄い笑みが、小田にとってはなによりも頼もしかった。

県予選のスタートは三ヶ月後の九月末だ。そこで勝ち残れば十一月の最終代表決定戦まで引退は延長される。そして代表決定戦を勝ち取れば、一月の全国大会本選まで――。

一試合でも多く。一日でも、一分一秒でも長く。〝終わり〟をすこしでも引き延ばすために、自分たち三年は精いっぱい無様に足掻《あが》くのだろう。

梅雨があければいよいよ最後の夏が来る。卒業後の残りの一生分の時間を凝縮したような夏になるに違いない。進路についての迷いは晴れた。今自分にできること、したいこと、すべてをまっすぐに注ぎ込もう。その後の数十年が自分にとっての余生になろうがかまうものか。たとえここで燃え尽きて、自分の中にいっさいなにも残らなくとも、今なら後悔はしない。

（2．43　清陰高校男子バレー部②につづく）

『2.43』がもっとわかる

バレーボール初級講座

★ゲームの基本的な流れ

- サーブが打たれてから、ボールがコートに落ちたり、アウトになるまでの一連の流れを**ラリー**という。ラリーに勝ったチームに1点が入る（**ラリーポイント制**）。得点したチームが次にサーブする権利（**サーブ権**）を得る。サーブ権が移ることを**サイドアウト**という。
- 公式ルールは1セット25点先取の5セットマッチ。3セット先取したチームが勝利する。最終セットのみ15点先取になる。高校の大会では3セットマッチの場合も多い。
- 一般男子の大会や高校男子の全国大会のネットの高さは**2m43cm**。高校男子の県大会は2m40㎝で行う県もある。

★ポジション――バレーボールには2つの「ポジション」がある

プレーヤー・ポジション＝チーム内の役割を表すポジション

レフト
（ウイングスパイカー）

高校バレーのエースポジション。スパイク力とジャンプ力のある選手が担う。

ライト
（ウイングスパイカー、オポジット、スーパーエース、ユニバーサル等）

チームの戦力や戦略によって、様々なタイプの選手が入るため、呼称も多い。

センター
（ミドルブロッカー）

ブロックの要。攻撃においては速攻要員。身長の高い選手が配される。

セッター

攻撃の戦術を握る司令塔。頭脳的なポジションでありつつ高い身体能力も要求される。

リベロ

後衛にのみ入ることができる、レシーブのスペシャリスト。違う色のユニフォームを着る。

コート・ポジション=ローテーション上の立ち位置を表すポジション

- 各セット開始前に提出した**スターティング・ラインアップ**に従って**ローテーション**順が決まる。
- 前衛、後衛が3人ずつになる。後衛のプレーヤーは「ブロック」「アタックラインを踏み越してスパイクを打つこと」ができない。レフト2人、センター2人、セッター/ライトをそれぞれ「**対角**」に置くのが基本形。
- サイドアウトを取ったチームは時計回りに1つローテーションを回す。このときフロントライトからバックライトに下がったプレーヤーがサーバーとなる。
- サーブが打たれた瞬間にローテーションどおりの前後・左右の関係を維持していなければ反則になる。サーブ直後から自由に移動してよい。
- 後衛のプレーヤーのいずれかとリベロが交代することができる。センター・プレーヤーと交代することが多い。

コート・ポジションと、スタート時のローテーションの一例

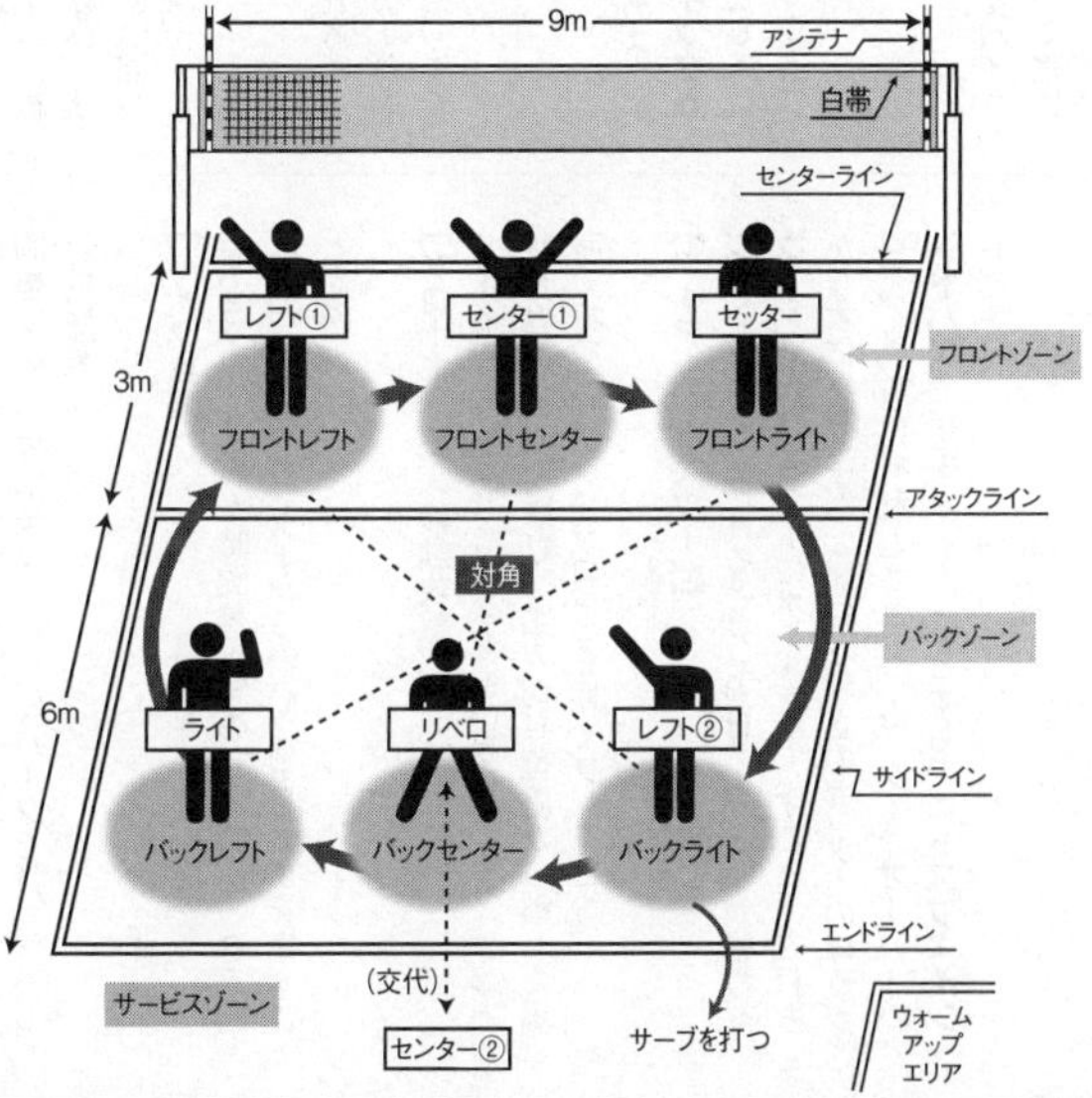

バレーボール用語集

【サイドアウト】
サーブレシーブ側のチームが得点し、サーブ側のチームからサーブ権が移ること。サーブ側のチームが続けて得点した場合はサイドアウトにはならない。サイドアウトを取ったチームはローテーションを一つ回してサーブを打つ。

【コンビプレー（コンビ攻撃）】
セッターとアタッカー陣の連携により展開される、バレーボールの華といえる攻撃。複数のアタッカーが同時、ないし時間差でスパイクに跳んで敵のブロックを攪乱する。

【クイック（速攻）】
主にセンターとセッターの連携による、最速のスパイク。セッターからの距離と方向によって**Aクイックから Dクイックまで**である。時間差攻撃の囮として使うことも多い。C、Dクイックはセッターが**バックトス**であげる。

【バックアタック】
後衛から打つスパイク。後衛のプレーヤーがスパイクする際は**アタックライン**より後ろで踏み切って跳ばなければならない。

【時間差攻撃】
クイックを囮にしてブロックを引きつけ、わずかな時間差で跳んだ別のアタッカーがスパイクを打ち込むコンビ攻撃。

【パイプ攻撃】
縦のラインを使った時間差攻撃の一つ。Aクイックを囮にした、後衛センターからのバックアタックを指すことが多い。

【ブロード攻撃（移動攻撃）】
サイド方向に流れるトスを追いかけるようにして、**片足踏み切り**で跳び、踏み切り位置から離れた場所で打つスパイク。ブロックを欺くプレーの一つ。

【ツーアタック（ツー）】
ジャンプトスをあげると見せかけてセッターが強打や**プッシュ**で相手コートにボールを落とすこと。左打ちが基本になるため、一般に左利きのセッターのほうがツーアタックに有利とされる。セッターが**オーバーハンドパス**で相手コートに落とすものは**トスフェイント**と呼ぶ。

【オープントス】
アタッカーに向かって長い山なりの軌道であがる高いトス（**ハイセット**）。特にレフトにあがる**レフトオープン**は高校バレーにおける攻撃の基本形。

【二段トス】
レシーブが大きく乱れたとき、コート後方やコート外からあがる高いトス（ハイセット）。セッター以外があげることになる場合も多い。

【ワンハンドトス】
片手であげるトス。特にレシーブがネット際ぎりぎりにあがって両手でトスをあげられないときに使われる。

【ジャンプサーブ（スパイクサーブ）】
スパイク並みの威力で打つサーブ。他のサーブの種類に**ジャンプフローターサーブ**、**フローターサーブ**などがある。

【サービスエース】
サーブが直接得点になること。相手チームがボールに触れることもできずに得点になったサービスエースを**ノータッチエース**と呼ぶ。

【レセプション】
サーブレシーブのこと。

【ディグ】
レセプション以外のレシーブ動作のこと（**スパイクレシーブ**など）。

【クロス、ストレート】
スパイクのコースの種類。クロスはコートを斜めに抜けるスパイク。ストレートはサイドラインと平行にまっすぐ抜けるスパイク。クロスの中でもネットと平行に近いほどの急角度がついたスパイクを**インナースパイク**と呼ぶ。

【コミットブロック、リードブロック】
跳ぶタイミングによるブロックの種類。マークしているアタッカーの動きに反応してブロッカーが跳ぶのがコミットブロック。これに対し、セッターがあげるトスを見てから反応するブロック戦略をリードブロックという。

【キルブロック】
スパイクをシャットアウトすること、またそれを目的としたブロックのこと。これに対し、**ワンタッチ**を取る目的のブロックは**ソフトブロック**と呼ぶ。

【ダイレクト】
相手チームがレシーブしたボールが直接返ってくること、またそのボールを前衛のプレーヤーがネット上で直接スパイクすること（**ダイレクトアタック**）。

【リバウンド】
ブロックされて自コートに戻ってきたボールのこと、またそのボールを拾うこと。スパイクが確実にブロックされることが予想される場面で、あえてブロックを利用してリバウンドを取り、攻撃を組み立てなおす戦法もある（**リバウンド攻撃**）。

【ふかす】
打ちそこねて大きくアウトにすること。

【テイクバック】
スパイクやジャンプサーブにおいて、スウィングする前の準備動作が空中で完成すること。

【Aパス、Bパス、Cパス、Dパス】
サーブレシーブの評価を表す。大枠の基準は、A＝セッターの位置にぴたりと返る、一番いい返球。B＝セッターを数歩動かすが、まだ速攻が使える。C＝セッターを大きく動かす。二段トスになる。D＝スパイクで打ち返せず相手チームの**チャンスボール**になる。

【ファーストテンポ、セカンドテンポ、サードテンポ】
セッターの**セットアップ**と、アタッカーが助走に入るタイミングの関係を表す。クイックはファーストテンポ、時間差はセカンドテンポ、**オープンアタック**はサードテンポとなる。

【ファーストタッチ、セカンドタッチ、サードタッチ】
三打（三段ともいう）以内に相手コートに返すというルールの中で、一打（一段）目、二打（二段）目、三打（三段）目にボールにさわること。

【対角】
ローテーション上で対角線で結ばれるプレーヤーの関係のこと。対角の2人はローテーションが回っても必ず一方が前衛、一方が後衛になる。長身者や強いアタッカーを対角に配置し、前衛の戦力を常に維持するのがローテーションの基本の組み方。

【アンテナ】
ネットの両サイドに取りつけられる棒。相手コートにボールを返す際、アンテナの外側を通ったり、アンテナにボールが触れると反則になる。

本文デザイン／鈴木久美
本文イラスト／山川あいじ

［初　出］
集英社WEB文芸レンザブロー　2012年6月1日～2013年3月22日

本書は2013年7月、集英社より刊行されました。
文庫化にあたり、加筆修正のうえ二分冊して再編集しました。

［主な参考文献］

『2013年度版　バレーボール6人制競技規則』公益財団法人日本バレーボール協会
『Volleypedia　バレーペディア［2012年改訂版］』日本バレーボール学会・編／日本文化出版
『わかりやすいバレーボールのルール』森田淳悟・著／成美堂出版

「『2.43』がもっとわかるバレーボール初級講座」ではルールの一部、
用語の解釈の一部を説明しています。解釈には諸説ある場合があります。

本書のご感想をお寄せください。
いただいたお便りは編集部から著者にお渡しします。

【宛先】

〒101-8050　東京都千代田区一ツ橋2-5-10
集英社文庫編集部『2.43』係

壁井ユカコの本

2.43 清陰高校男子バレー部②

身長163cmの熱血主将・小田と身長193cmのクールな副主将・青木。凸凹コンビが率いる弱小チーム、清陰高校男子バレー部に入部した黒羽と灰島は、全国大会を目指して走り始める！

集英社文庫

S 集英社文庫

2.43《にいてんよんさん》 清陰高校男子《せいいんこうこうだんし》バレー部《ぶ》 ①

2015年3月25日 第1刷
2020年12月6日 第10刷

定価はカバーに表示してあります。

著　者　壁井《かべい》ユカコ

発行者　徳永　真

発行所　株式会社 集英社
東京都千代田区一ツ橋2-5-10　〒101-8050
電話　【編集部】03-3230-6095
【読者係】03-3230-6080
【販売部】03-3230-6393(書店専用)

印　刷　大日本印刷株式会社

製　本　大日本印刷株式会社

フォーマットデザイン　アリヤマデザインストア　　マークデザイン　居山浩二

ISBN978-4-08-745292-1 C0193